PREGUNTAS
EQUIVOCADAS

PREGUNTAS EQUIVOCADAS

———————

LIBRO 1 - "¿Quién será a estas horas?"
LIBRO 2 - "¿Cuándo la vio por última vez?"

PREGUNTAS
EQUIVOCADAS
2

¿Cuándo la vio por última vez?

LEMONY SNICKET

ILUSTRACIONES DE SETH
TRADUCCIÓN DE PEPA DEVESA SEVA

laGalera

Título original:
All the Wrong Questions: When Did You See Her Last?

Primera edición: marzo de 2014

Adaptación de cubierta: Marquès, SL
Maquetación: Adriana Martínez

Edición: Marcelo E. Mazzanti
Coordinación editorial: Anna Pérez i Mir
Dirección editorial: Iolanda Batallé Prats

*Text published by arrangement with Charlotte Sheedy Literary Agency
through International Editors Co., S.L. Spain. All rights reserved.
Illustrations published by arrangement with Little, Brown, and Com-
pany, New York, New York, USA. All rights reserved.*

Texto © 2013, Lemony Snicket
Ilustraciones © 2013, Seth
Traducción © 2014, Pepa Devesa
© 2014, la Galera, SAU Editorial
por la edición en lengua castellana

la Galera, SAU Editorial
Josep Pla 95, 08019 Barcelona
www.lagaleraeditorial.com

Impreso en Limpergraf
Mogoda, 29-31. Pol. Ind. Can Salvatella
08210 Barberà del Vallès

Depósito legal: B-1.407-2014
Impreso en la UE
ISBN: 978-84-246-5173-2

A: Pooket
DE: LS
REFERENCIAS: Stain'd-by-the-Sea; investigación
de secuestros;
Hangfire; seguir pistas; láudano, doppelgängers/dobles,
etc.
2/4
cc: VFDhq

CAPÍTULO 1

Un pueblo, una estatua y una persona secuestrada. Cuando estaba en el pueblo, me contrataron para rescatar a esa persona, y pensé que la estatua había desaparecido para siempre. Tenía casi trece años y me equivoqué. Me equivoqué en todo. Debería haberme preguntado cómo podía estar una persona desaparecida en dos lugares a la vez. Pero me hice la pregunta equivocada. Cuatro preguntas equivocadas, más o menos. Y en estas páginas relato la segunda.

Hacía frío, era por la mañana y necesitaba un corte de pelo. Cuando necesitas cortarte el pelo, da la impresión de que no hay nadie que se preocupe por ti. En mi caso, era cierto. No había nadie que se preocupara por mí en el The Lost Arms, el hotel donde me encontraba hospedado. Mi habitación se llamaba suite Far East, aunque no era una suite, y la compartía con una mujer que se llamaba S. Theodora Markson, aunque no sabía qué significaba la S. No era una habitación agradable, e intentaba no pasar mucho tiempo allí, a no ser que estuviera durmiendo, intentando dormir, haciéndome el dormido o comiendo. Theodora cocinaba la mayoría de las comidas, aunque «cocinar» es una palabra demasiado sofisticada para lo que ella hacía, que era comprar comestibles de una tienda medio vacía que había a unas pocas manzanas y luego calentarlos en una placa eléctrica que se enchufaba en la pared. Aquella mañana el desayuno era un huevo frito, que Theodora me había servido sobre una toalla de papel del lavabo. Siempre se olvidaba de comprar platos, aunque de vez en cuando se acordaba de echarme la culpa por dejar que se olvidara. Casi todo el huevo se pegó en el papel, así que no pude comer mucho, pero encontré una manzana que no estaba demasiado magullada y ahora estaba sentado en el vestíbulo del The Lost Arms con el corazón pegajoso de la manzana en la mano. No había mucho más en el vestíbulo. Había un hombre que se llamaba Prosper Lost, que llevaba el negocio con una sonrisa que me hacía retroceder como si hubiera un bicho extraño saliendo de un cajón, un teléfono en una pequeña cabina en un rincón que casi siempre estaba ocupado y una estatua de escayola de una mujer sin ropa ni brazos. Necesitaba un suéter, que fuera largo y sin mangas. Me gustaba sentarme bajo la estatua en el sucio sofá y pensar. Si queréis saber la verdad, pensaba en Ellington Feint, una chica con unas cejas curvadas de una forma extraña, como interrogaciones, ojos verdes y una sonrisa que podría querer decir cualquier cosa. Hacía un tiempo que no veía aquella sonrisa. Ellington Feint se había fugado, llevándose una estatua con la forma de la Bombinating Beast. La bestia era una criatura bastante terrible de los viejos mitos, con quien marineros y ciudadanos de a pie temían toparse. A mí lo único que me preocupaba era toparme con Ellington. No sabía dónde estaba ni dónde me la podría encontrar de nuevo. El teléfono sonó justo a tiempo.

—¿Hola? —dije.

Hubo una pausa estudiada antes de que oyera «buenos días».

—Buenos días —dijo—, estoy realizando una encuesta voluntaria. «Encuesta» significa que usted responderá a unas preguntas, y «voluntaria» significa…

—Sé lo que significa voluntaria —interrumpí, como era mi intención—. Significa que lo haré voluntariamente.

—Exacto, señor —dijo ella. Me chochaba

que mi hermana me llamase «señor»—. ¿Es buen momento ahora para responder a unas preguntas?

—Sí, tengo unos minutos —dije.

—La primera pregunta es cuántas personas viven actualmente en su domicilio.

Miré a Prosper Lost, que estaba al otro lado de la sala, de pie en su mostrador y mirándose las uñas. Pronto se daría cuenta de que yo estaba al teléfono y encontraría un motivo para colocarse en un lugar donde poder cotillear mejor.

—Vivo solo —dije—, pero solo por el momento.

—Sé exactamente lo que quiere decir. —Supe por la respuesta de mi hermana que ella también estaba en un lugar sin intimidad. Últimamente no era seguro hablar por teléfono, y no solo por los fisgones. Había un hombre que se llamaba Hangfire, un criminal que se había convertido en el centro de mis investigaciones. Hangfire tenía la enervante capacidad de imitar la voz de cualquiera, lo que significaba que nunca podías estar seguro de con quién hablabas por teléfono. Tampoco podías estar seguro de cuándo volvería a aparecer Hangfire o de qué estaría tramando. Definitivamente, había demasiadas cosas de las que no se podía estar seguro.

—De hecho —prosiguió mi hermana—, todo se ha vuelto tan complicado en mi propio domicilio que no estoy segura de poder ir más a la biblioteca.

—Siento oír eso —dije, que era el código para decir que sentías oír algo. Últimamente mi hermana y yo habíamos estado comunicándonos mediante el sistema bibliotecario. Ahora parecía que me estaba diciendo que esto ya no sería posible.

—La segunda pregunta es: ¿Prefiere visitar un museo solo o acompañado?

—Acompañado —dije rápidamente—. Nadie debería ir solo a un museo.

—¿Y si no encuentra a su compañero habitual —preguntó—, porque está muy lejos?

Me quedé un momento mirando fijamente el aparato receptor en mi mano, como si pudiera llegar a ver a través de los agujeritos hasta la ciudad, donde mi hermana estaba, como yo, trabajando de aprendiz.

—Entonces debe buscar otro compañero —dije—, antes que visitar un museo sola.

—¿Y si no hay ningún otro compañero adecuado? —dijo, y le cambió la voz, como si hubiera entrado alguien en la habitación—. Esa es mi tercera pregunta, señor.

—Entonces no debería ir al museo —dije, pero después a mí también me interrumpió la figura de S. Theodora Markson, que bajaba las escaleras. Su pelo llegaba antes, una maraña enredada como si varias melenas hubieran disputado un combate de lucha libre. Le seguía el resto de su persona, alta y de ceño fruncido.

Hay muchos misterios que nunca he resuelto, y el pelo de mi acompañante es quizás el más curioso de los casos sin resolver.

—Pero, señor… —decía mi hermana, pero la tuve que volver a interrumpir.

—Dele recuerdos a Jacques de mi parte —dije, que era una frase que aquí significaba dos cosas. Una era «tengo que colgar». La otra cosa que significaba la frase era exactamente lo que decía.

—Ahí estás, Snicket —me dijo Theodora—. Te he estado buscando por todas partes. Es una desaparición.

—No es un caso de desaparición —dije, pacientemente—. Te he dicho que iba al vestíbulo.

—Ten un poco de cabeza —me dijo Theodora—. Sabes que no te escucho con mucha atención por la mañana, así que deberías hacer los ajustes necesarios. Si vas a estar en alguna parte por la mañana, dímelo por la tarde. Pero donde tú estás no es ni aquí ni allí. En cuanto a esta mañana, Snicket, somos *siguepistas*.

—¿Siguepistas?

—*Siguepistas* es un término que aquí significa «alguien que encuentra a personas desaparecidas y las devuelve a casa». Venga, Snicket, tenemos mucha prisa.

Theodora tenía un vocabulario impresionante, que puede ser encantador si lo usas en el momento adecuado. Pero si tienes mucha prisa y alguien usa algo como «siguepistas», que probablemente no vas a entender, entonces un vocabulario impresionante es bastante irritante. Otra forma de decirlo es que es enojoso. Otra forma de decirlo es que es enervante. Otra forma de decirlo es que es fastidioso. Otra forma de decirlo es que es exasperante. Otra forma de decirlo es que es engorroso. Otra forma de decirlo es que es vesicante. Otra forma de decirlo es que es molesto. Otra forma de decirlo es que es mortificante. Otra forma de decirlo es que es perturbador. Otra forma de decirlo es que es urticante o enloquecedor o emponzoñante o indignante o perturbador, o que lo saca a uno de quicio o que lo saca de sus casillas, o que lo pone de los nervios, o que le hace hervir la sangre, o que lo pone a uno a parir, o de mala hostia, o que te sienta como un tiro, o te toca las narices, o te pone de uñas, o hace que te subas por las paredes, y como se puede ver, también te hace perder tiempo cuando no hay tiempo que perder. Seguí a Theodora cuando salió del The Lost Arms hasta la acera donde había aparcado de cualquier manera su desvencijado descapotable. Se metió en el asiento del conductor y se puso el casco de cuero que siempre usaba cuando conducía, y que era el principal sospechoso de que su pelo tuviera siempre aquel aspecto tan extraño.

Estábamos en un pueblo que se llamaba Stain'd-by-the-Sea, que ya no estaba al lado del mar y tampoco era ya apenas un pueblo. Las calles eran muy tranquilas y la mayoría de edificios estaban vacíos, pero de vez en cuando se veían señales de vida en alguna parte. Pasamos por Hungry's, una cafetería que no había probado aún, y por la ventana pude ver las siluetas de varias personas que desayunaban. Pasamos por

Partial Foods, donde comprábamos la comida, y vi a un cliente o dos caminando entre las estanterías medio vacías. En el Café Black Cat había una silueta solitaria en el mostrador que presionaba tres botones automáticos que proporcionaban a los clientes café, pan o acceso al desván, que una vez fue un buen escondite. En este paseo también capté algo nuevo del pueblo, algo pegado en los lados de los postes de las farolas o en las tablas que bloqueaban las puertas y ventanas de las casas abandonadas. Incluso los buzones tenían pegados esos carteles, aunque desde la velocidad del descapotable solo podía leer una palabra.

—Este es un asunto crucial —decía Theodora—. Nos han dado este importante caso por nuestro éxito anterior con el robo de la estatua de la Bombinating Beast.

—Yo no lo llamaría éxito —dije.

—No me importa lo que tú lo llamarías —dijo Theodora—. Intenta ser más como tu predecesor, Snicket.

Estaba cansado de oír hablar sobre el aprendiz que me precedió. A Theodora le gustaba más, lo que me hacía pensar que era peor.

—Nos contrataron para devolver aquella estatua a su legítimo propietario —le recordé—, pero resultó ser una artimaña de Hangfire, y ahora tanto el objeto como el malo podrían estar en cualquier parte.

—Creo que solo estás loquito con esa chica, Eleanor —dijo Theodora—. La *cupidez* no es una cualidad deseable en un aprendiz, Snicket.

Yo no estaba seguro de lo que significaba «cupidez», pero venía de la palabra *Cupido*, el dios alado del amor, y Theodora usaba el tono de voz que todos usan cuando quieren chinchar a los chicos que tienen amigas. Sentía que me ruborizaba y no quería decir su nombre, que no era Eleanor.

—Está en peligro —dije entonces— y prometí ayudarla.

—No te estás concentrando en la persona

adecuada —dijo Theodora, y me lanzó al regazo un sobre grande. El sobre tenía un lacre negro que ya estaba abierto. Dentro no había más que un trozo de papel con una foto de una muchacha varios años mayor que yo. Tenía el cabello tan rubio que parecía blanco y llevaba unas gafas que le hacían los ojos muy pequeños. Las gafas brillaban, o quizás solo reflejaban la luz del flash de la cámara. Su ropa parecía recién estrenada, con unas rayas blancas y negras como las de una cebra recién cepillada. Estaba de pie en lo que diría que era su habitación, que también parecía sin estrenar. Se veía el borde de una cama reluciente y un tocador brillante abarrotado de trofeos que parecían haberle entregado el día antes. La mayoría de trofeos que había visto tenían encima la figura de un atleta. Estos tenían formas coloridas y extrañas. Me recordaban a las ilustraciones de un libro de ciencias, de las que explican las cosas tan pequeñísimas que conforman el mundo. Lo único de la foto que no parecía recién estrenado era el gorro que llevaba, que era redondo y del color de una frambuesa, y el ceño fruncido de su expresión. Parecía que le desagradaba que le hicieran la foto, y también parecía usar esa expresión de disgusto con bastante frecuencia. En mayúsculas, bajo la chica del ceño fruncido, estaba su nombre, SRTA. CLEO KNIGHT, y en la parte superior del cartel había otra palabra en mayúsculas, en una letra mucho más grande. Era la misma palabra que había leído en las copias del mismo cartel que había por todo el pueblo.

DESAPARECIDA.

La palabra se refería a la chica, pero podría haberse referido a cualquier cosa de aquel pueblo. Ellington Feint se había desvanecido. El descapotable de Theodora pasaba a toda velocidad por manzanas enteras en las que negocios y personas habían desaparecido. Me di cuenta de que nos dirigíamos al edificio más alto del pueblo, una torre que tenía la forma de un boli enorme. En otros tiempos el pueblo había sido conocido por producir la tinta más oscura del mundo, a partir de pulpos asustados que temblaban en unos pozos profundos que una vez hubo bajo el agua. Pero el mar también había sido drenado, dejando atrás solo una extensión anárquica e inquietante de algas que por algún motivo seguían viviendo, aun cuando el agua había desaparecido. Ahora ya quedaban pocos pulpos, y al final no quedaría más que toda aquella alga resplandeciente del Clusterous Forest. Pronto todo habrá desaparecido, Snicket, me dije. Tu acompañante tiene razón. Corre mucha prisa. Si no te apresuras a encontrar lo que se ha perdido, no quedará nada.

CAPÍTULO 2

La torre con forma de bolígrafo tenía una puerta sorprendentemente pequeña con unas letras de imprenta que eran demasiado grandes. Las letras decían: INK INC., y el timbre tenía la forma de una pequeña mancha de tinta oscura. Era el nombre de la empresa más grande de Stain'd-by-the-Sea. Theodora sacó un dedo enguantado y pulsó el timbre seis veces seguidas. No había timbre en el mundo que Theodora no pulsara seis veces seguidas cuando se lo topaba.

—¿Por qué haces eso?

Mi acompañante se irguió todo lo larga que era y se quitó el casco para que el pelo la hiciera aún más alta.

—S. Theodora Markson no necesita explicarle nada a nadie —dijo.

—¿Qué significa la S? -pregunté.

—Silencio —susurró, y la puerta se abrió y descubrió dos caras idénticas y un aroma familiar. Las caras eran las de dos mujeres con cara de preocupación, vestidas de negro casi completamente y cubiertas por enormes delantales blancos, pero no acababa de recordar de qué me sonaba aquel olor. Era dulce pero malo, como de un ramito de flores maléfico.

—¿Es usted S. Theodora Markson? —dijo una de las mujeres.

—No —dijo Theodora—. Theodora soy yo.

—Nos referíamos a usted —dijo la otra mujer.

—Ah, en ese caso, sí. Y este es mi aprendiz. No necesitan saber su nombre.

Se lo dije de todas formas.

—Yo soy Zada y ella es Zora —dijo una de las mujeres—. Somos las criadas de la familia Knight. No se preocupen por distinguirnos la una de la otra. La Sra. Knight es la única que puede. La encontrará, verdad, Sra. Markson?

—Llámeme Theodora.

—Conocemos a la Srta. Knight desde que era bebé. Nosotras la trajimos del hospital cuando nació. La va encontrar, ¿verdad, Theodora?

—A menos que prefieran llamarme Sra. Markson. La verdad es que a mí me da igual.

—¿Pero la encontrará?

—Prometo hacer todo lo posible —respondió Theodora, pero Zada miró a Zora (o quizás Zora miró a Zada) y ambas fruncieron el ceño. Nadie quiere oír que harás todo lo posible. Eso no se dice. Es como decir «probablemente no te arrearé con una pala». De repente todo el mundo teme que hagas justo lo opuesto.

—Deben de estar muertas de preocupación

—es lo que dije yo—. Nos gustaría saber todos los detalles de este caso, para poder ayudarlas con la mayor presteza.

—Pasen—dijo Zada o Zora, y nos guiaron hasta el interior de una habitación que al principio parecía diminuta sin remedio y bastante oscura. Cuando mis ojos se acostumbraron a la oscuridad, pude ver que lo que en principio parecían paredes eran grandes cajas de cartón apiladas por todas partes, lo que hacía que la habitación pareciese más pequeña de lo que era. Pero la oscuridad era real. Casi siempre lo es. El olor se volvió más fuerte en cuanto se cerró la puerta. Tan fuerte que me lloraban los ojos.

—Perdonen el desorden —dijo una de las mujeres con delantal—. Los Knight estaban haciendo cajas para mudarse cuando sucedió este horror. El señor y la señora Knight están fuera de sí de preocupación.

Los ojos de Zada y Zora también lagrimeaban, o quizás estuviesen llorando, pero nos guiaron a través del hueco que quedaba entre las cajas por un oscuro corredor que llevaba a una sala de estar que parecía haber sido empaquetada y desempaquetada para la ocasión. Había una lámpara alta colocada dentro de su propia caja con el cable serpenteando desde la caja hasta el enchufe. Un sofá estaba medio fuera de una caja con forma de sofá, y en otras dos cajas abiertas había dos sillas que sostenían las únicas dos cosas de la sala que no estaban listas para ir a un camión de mudanzas: el Sr. y la Sra. Knight. La silla del Sr. Knight era clara y su ropa negrísima. Y el conjunto de la Sra. Knight era todo lo contrario. Estaban sentados uno al lado del otro, pero no parecían estar fuera de sí de preocupación. Parecían muy cansados y muy confusos, como si les hubiésemos despertado de un sueño.

—Buenas noches —dijo la Sra. Knight.

—Es por la mañana, señora —dijo Zada o Zora.

—Sí que hace frío —dijo el Sr. Knight, como

si estuviera de acuerdo con algo que alguien había dicho, y bajó la vista a las manos.

—Esta es S. Theodora Markson —prosiguió una de las mujeres con delantal—, y su aprendiz. Han venido por la desaparición de su hija.

—La desaparición de su hija —repitió la Sra. Knight con calma.

Su marido se volvió hacia ella.

—Doretta —dijo—, la Srta. Knight ha desaparecido.

—¿Estás seguro, Ignatius, querido? No creo que la Srta. Knight fuera a desaparecer sin dejar una nota.

El Sr. Knight siguió mirándose las manos fijamente. Luego parpadeó y levantó los ojos hacia nosotros.

—¡Oh! —dijo—. No me había dado cuenta de que teníamos visita.

—Buenas noches —dijo la Sra. Knight.

—Es por la mañana, señora —dijo Zada o Zora, y yo temí que la extraña conversación fuera a empezar nuevamente desde el principio.

—Hemos venido por lo de la Srta. Knight —me apresuré a decir—. Tenemos entendido que ha desaparecido y nos gustaría ayudarles.

Pero el Sr. Knight estaba otra vez mirándose las manos, y los ojos de la Sra. Knight habían vagado también hacia una puerta que había al fondo de la sala, donde un hombrecito rechoncho nos observaba a todos fijamente a través de unas pequeñas gafas redondas. Llevaba una barbita que parecía que estuviese intentando escapar de su desagradable sonrisa. Parecía el tipo de persona que te diría que no tiene un paraguas para dejarte cuando en realidad tiene varios y simplemente te quiere ver calado.

—El Sr. y la Sra. Knight no están de humor para visitas —dijo—. Zada o Zora, hagan el favor de llevárselos para que pueda atender a mis pacientes.

—Sí, Dr. Flammarion —dijo una de las dos mujeres con una pequeña reverencia, y nos indicó sutilmente la salida de la sala. Me volví y vi al Dr. Flammarion sacar una larga aguja de un bolsillo, el tipo de aguja con la que a los médicos les gusta pincharte. Reconocí el olor y me apresuré a seguir a los demás, que estaban ya afuera. Pasamos por un pasillo estrecho que estrechaban aún más las filas de cajas, y después, de repente, nos encontramos en una cocina que me hacía sentir mucho mejor. No estaba oscura. La luz del sol entraba a raudales por unas ventanas grandes y limpias. Olía a canela, un aroma mucho mejor que el que había notado antes, y bien Zada o bien Zora corrió al horno y sacó una bandeja de bollos de canela que me hicieron sentir nostalgia de los buenos desayunos. Una de las mujeres puso uno en un plato y me lo ofreció aún humeante. Una persona que te da un bollo de canela recién salido del horno es un amigo para toda la vida.

—¿Qué les pasa a los Knight? —pregunté, después de darles las gracias—. ¿Por qué actúan de un modo tan extraño?

—Deben de estar conmocionados por la desaparición de su hija —dijo Theodora—. A veces las personas se comportan de forma muy extraña cuando les pasa algo terrible.

Una de las criadas le dio también a Theodora un bollo de canela y negó con la cabeza.

—Hace ya tiempo que están así —dijo—. El Dr. Flammarion ha sido su boticario particular durante unas semanas.

—¿Qué significa eso? —pregunté.

—Un *flammarion* es un pájaro grande y rosa —dijo Theodora.

—Un boticario —prosiguió la mujer, con más tino— es un poco como un médico y un poco como un farmacéutico. Durante años el Dr. Flammarion trabajó en la clínica Colophon, en las afueras, antes de venir aquí a tratar a los Knight. Ha estado usando con ellos un medicamento especial, pero no hacen más que empeorar.

—Eso debió de preocupar bastante a la Srta. Knight —dije.

A Zada y a Zora se las veía muy tristes.

—La Srta. Knight se sentía muy sola —dijo una de ellas—. Te sientes muy solo cuando alguien a quien quieres se convierte en un extraño.

—De modo que la Srta. Knight no tiene a nadie que se preocupe por ella —dijo Theodora, pensativa. Los bollos de canela eran de los que están enroscados como un caracol en su concha, y mi acompañante lo había desenrollado antes de empezar a comérselo, de modo que tenía ambas manos cubiertas de glaseado y canela. No era ese el modo de comérselo. Tampoco había acertado en lo de que la Srta. Knight no tenía a nadie que se preocupara por ella. Zada y Zora eran las que se estaban muriendo de preocupación. Me incliné y miré primero a Zada y luego a Zora, o quizás al revés. Y luego, mientras mi acompañante se chupaba los dedos, les pregunté cuándo la vieron por última vez.

Era la pregunta equivocada, en aquel momento e incluso más tarde, cuando se la hice a un hombre envuelto en vendas. Lo que había que preguntar en este caso era «¿por qué llevaba una pieza de vestir que no era suya?», pero esto no es un relato de las veces que he hecho la pregunta adecuada, aunque ya me gustaría que lo fuese.

La Srta. Knight estaba con nosotros ayer por la mañana —dijo una de las mujeres, secándose los ojos con el delantal—. Estaba sentada justo donde está usted ahora, tomándose su desayuno habitual de cereales Schoenberg. Luego, estuvo un ratito en su habitación antes de salir a ver a una amiga.

—¿Quién era esta amiga? —pregunté.

—No lo dijo. Simplemente cogió el coche y se fue, y no ha regresado.

—¿Tiene edad para conducir?

—Sí, se sacó el carné hace unos meses, y sus padres le compraron un Dilemma flamante.

—Es un buen automóvil —dije. El Dilemma era uno de los automóviles más sofisticados que se fabricaban. Se decía que con un Dilemma podías atravesar la pared de un edificio y salir por el otro lado sin un arañazo ni una abolladura, aunque el edificio se podía derrumbar.

—El Sr. y la Sra. Knight le dan a su hija todo lo que quiere —dijo la mujer en delantal—. Ropa nueva, coche nuevo y todo tipo de equipamiento para sus experimentos.

—¿Experimentos?

—La Srta. Knight es una química excelente —dijo Zada o Zora con orgullo—. Muchas veces se queda despierta toda la noche en su habitación trabajando en sus experimentos.

—Me imagino que lo aprendió de verla a usted cocinar —dije—. Este es el mejor bollo de canela que he probado en la vida.

Hacerle cumplidos a alguien de forma exagerada se conoce como adular, y con adulación, por lo general, consigues todo lo que quieres, pero Zada y Zora estaban demasiado preocupadas para ofrecerme un segundo bollo.

—Probablemente heredó la gracia de su

abuela —dijo la mujer—. Ingrid Nummet Knight fundó Ink Inc. cuando era una joven científica, tras muchos años de experimentar con distintos tipos de tinta de muchas criaturas distintas. No mucho después, Ink Inc. convirtió a los Knight en la familia más rica del pueblo. Pero aquellos días pasaron. Ink Inc. está casi acabada, igual que el pueblo. Por eso nos vamos de Stain'd-by-the-Sea.

—¿Cuándo se van? —pregunté.

—Cuando los Knight lo decidan.

—¿Incluso si no vuelve la Srta. Knight?

—¿Qué podemos hacer nosotras? —preguntó la otra mujer—. Solo somos las criadas.

—Pues haga té —dijo una voz impaciente desde el umbral de la puerta. La luminosa cocina pareció oscurecerse cuando el Dr. Flammarion entró como si nada, cogió un bollo de canela sin pedir permiso y se sentó con estruendo.

—Estamos hablando de la Srta. Knight —dijo una de las mujeres en voz baja.

—Muy preocupante —concedió el boticario, con la boca llena—. Pero al menos sus padres descansan cómodamente. Les conmocionó la noticia de su desaparición. Les di una inyección extra de la medicina para que pasasen la tarde en un cómodo estado de delirio pausado.

—¿Qué medicina es, doctor? —pregunté.

El Dr. Flammarion me frunció el ceño.

—Es usted un joven muy curioso —dijo.

—Disculpe, Dr. Flammarion —dijo Theodora. Había terminado de comerse el bollo y se estaba limpiando los dedos en la foto de la chica desaparecida—. Mi aprendiz parece haber olvidado sus modales.

—Es perfectamente normal —dijo el Dr. Flammarion—. La curiosidad tiende a meter a los jovencitos en problemas, pero pronto lo aprenderá por sí mismo. —Me dedicó una desagradable sonrisa como un regalo envenenado. —La medicina que les di se llama Bicabacabuca.

No es que haya estudiado medicina, y es cierto que siempre tengo dudas a la hora de escribir la palabra «aspirina», pero aun así sabía que Bicabacabuca no era ningún tipo de medicamento. Daba igual. Incluso antes de delatarse como mentiroso, sabía que había algo sospechoso en el Dr. Flammarion y, aunque no me lo hubiera dicho, sabía que la medicina que les estaba dando a los Knight era láudano. Reconocí el olor por un incidente que ocurrió unas semanas antes, cuando alguien intentó echarme unas gotas en el té. Este incidente se describe en el primer relato sobre preguntas equivocadas, por si acaso tenéis acceso o estáis interesados en dicho informe.

—Debe de ser difícil cuidar de los Sres. Knight usted solo —dije, y lo miré a los ojos. Parpadeó tras las gafas, y la barba intentaba escaparse con más ganas de aquella repugnante sonrisa.

—No estoy tan solo, joven —dijo—. Tengo una enfermera a quien se le da bien el bisturí.

Theodora se levantó.

—Quiero realizar una búsqueda exhaustiva de la escena del crimen —dijo.

—¿Qué crimen? —dijo el Dr. Flammarion.

—¿Qué escena? —pregunté yo.

—Parece probable que se haya cometido un crimen terrible —dijo Theodora con firmeza, sin pensar lo que aquello podía afectar a las dos mujeres que tanto querían a la Srta. Knight.

—Como boticario particular de la familia Knight, he de decir que dudo mucho que se haya cometido un crimen. Lo más probable es que la Srta. Knight se haya escapado, como es frecuente en las jovencitas.

Las dos criadas se miraron con cara de frustración.

—Ella no se escaparía nunca —dijo una de ellas—, al menos sin dejar una nota.

—¿Quién sabe lo que puede hacer una chica rica? —dijo el Dr. Flammarion, encogiendo levemente los hombros—. En todo caso, le dije a

Zada que no merecía la pena alarmar a la policía.

—Zora —corrigió ella con brusquedad.

—Lo siento, Zora —dijo el Dr. Flammarion con una pequeña reverencia que indicaba que no lo sentía en absoluto.

—Soy Zada —corrigió ella de nuevo—, pero es cierto. El Dr. Flammarion evitó que Zora llamara a la policía y le sugirió que podríamos llamarles a ustedes.

—El bueno del doctor eligió bien —dijo Theodora con un tono de voz que probablemente ella creía tranquilizador, y luego se levantó e hizo un gesto dramático—. No obstante, me gustaría registrar el lugar donde la Srta. Knight fue vista por última vez. ¡Llévenme a su habitación!

No había quien discutiera con S. Theodora Markson cuando se ponía a gesticular de forma teatral, así que seguí a mi acompañante cuando siguió a Zada y Zora por la casa a medio embalar con el Dr. Flammarion siguiéndome muy de cerca, con un aliento tan desagradable como el resto de su persona. Pronto estuvimos en una habitación que reconocía de la fotografía, que Theodora dejó en un escritorio nuevo para rebuscar entre la ropa del armario. No tenía sentido. Este no era el lugar donde fue vista la Srta. Knight por última vez. Era simplemente donde Zada y Zora la vieron por última vez. La chica se había ido conduciendo un automóvil de lujo. Lo más probable era que alguien la hubiera visto después.

—En esta habitación no hay nada empaquetado —dije.

—La Srta. Knight quiere hacerlo ella misma —dijo una de las mujeres—, pero no ha empaquetado más que unas cuantas prendas de vestir.

Eso me hizo preguntar algo más cercano a la pregunta adecuada de lo que creía.

—¿Qué llevaba puesto cuando se fue?

Zada o Zora señalaron la fotografía.

—Véalo usted mismo —dijo—. Tomamos esa foto ayer por la mañana, a petición suya. Fue una suerte. Ahora está por todo el pueblo.

Volví a mirar la foto. Nada me era familiar, pero aquel sombrero rosa estaba fuera de lugar.

—Es un gorro extraño —dije—. ¿Saben dónde lo compró?

—¡Snicket! —dijo Theodora con voz severa—. Un hombre no debe mostrar interés en la moda. Tenemos un misterio que resolver.

El Dr. Flammarion me volvió a sonreír y yo miré al escritorio para no mirar a mi acompañante ni al sospechoso médico. En medio del ordenado escritorio había una simple hoja de papel blanco vacía. No, Snicket, pensé. Algo no cuadra. Había diminutas marcas en algunos sitios, como si alguien la hubiera rascado con algo. Me incliné hacia el escritorio e inhalé, y por segunda vez desde que entré en la alta torre con forma de bolígrafo, percibí un aroma familiar, o en realidad dos olores familiares mezclados. El primero era el olor del mar, un olor fuerte y salobre que venía aún de las algas del Clusterous Forest cuando el viento soplaba en dirección de

Stain'd-by-the-Sea. Me costó un poco identificar el segundo aroma. Olía a algo que tenía en la punta de la lengua hasta que inspiré una vez más.

—Huele a limón —dije. Llevé el trozo de papel a la mesilla de noche, encendí la lámpara de leer, y esperé un par de minutos a que se calentara bien la bombilla. Mientras esperaba eché un vistazo por la habitación, y se me ocurrió que Zada y Zora se equivocaban. La Srta. Knight sí había empezado a hacer las maletas. Con frecuencia se quedaba despierta toda la noche en su habitación trabajando en experimentos científicos, pero no había ni rastro de equipo de laboratorio a la vista. Por fin la bombilla se había calentado lo suficiente.

Hay que saber tres cosas sobre la tinta invisible. La primera es que la mayoría de recetas llevan jugo de limón. La segunda es que la tinta invisible se hace visible cuando el papel se acerca a algo caliente, como una vela o una bombilla que lleva encendida unos minutos. Sujeté el papel muy cerca de la bombilla y observé. Zada y Zora vieron lo que hacía y se acercaron a echar un vistazo. También se acercó el Dr. Flammarion. La única que no miraba el papel mientras se calentaba era Theodora, que había cogido una blusa del armario y la colocaba contra su cuerpo para mirarse en el espejo.

No me importa cuántos misterios tediosos y complicados me encuentre en esta vida, solo espero que un día un misterio tedioso y complicado se resuelva rápida y fácilmente. Un colega mío llama a esta sensación «el triunfo de la esperanza sobre la experiencia», cosa que solo significa que nunca va a pasar, y es lo que pasó en aquella ocasión. Lo tercero que hay que saber sobre la tinta invisible es que raras veces funciona. Tras varios minutos de haber expuesto el papel al calor, lo miré y leí lo que decía:

En otras palabras, estaba en blanco. No decía nada. Pero lo curioso es que ese «nada» fue por fin una pista que podía utilizar.

CAPÍTULO 3

—Es un día afortunado —me dijo Theodora. Con una mano enguantada, conducía el descapotable verde de vuelta hacia el The Lost Arms, y con el otro guante me daba golpes firmes en la rodilla. A nadie le gusta que le den golpes en la rodilla. A prácticamente a nadie le gusta que le den golpecitos donde sea. Pero ella no paraba—. «Afortunado» es una palabra que aquí significa fortuito, y es especialmente fortuito para ti. Es propicio. Es oportuno. Es el destino. Es el mejor de los augurios. ¡Tienes suerte, Snicket! Con este nuevo caso, revelaré mis rutinas y mis métodos para seguir pistas.

Fuera, parecía que iba a llover otra vez. Dentro, tenía la foto de la chica en el regazo. La prometedora química parecía incluso más molesta, quizás porque Theodora había dejado huellas de azúcar por toda la foto.

—¿Qué debemos hacer en primer lugar? —pregunté.

—No hables, Snicket —dijo Theodora—, los tontos hablan mientras los sabios escuchan, así que escucha atentamente y te diré cómo vamos a resolver este caso de forma sensata y adecuada. Vamos a hacer seis cosas, y para cada cosa levantaré un dedo de la mano, así que al final tendré levantados seis dedos y no te confundirás.

Yo dejé de escuchar, por supuesto. Los métodos sensatos y adecuados de Theodora para resolver nuestro caso previo nos habían llevado a estar colgados innecesariamente de un calabrote, que es un cable suspendido en el aire, cosa que no me parece ni sensata ni adecuada. Me limité a asentir con solemnidad a la cosa número uno y, cuando levantó un segundo dedo enguantado, me quedé mirando por la ventana, pensando. Me resultaba sorprendente que una gran parte del misterio estuviera ya resuelto. El Dr. Flammarion les estaba dando a Ignatius y Doretta Knight fuertes dosis de láudano con su aguja hipodérmica, lo que les dejaba balbuceando y medio inconscientes. No era difícil imaginar por qué un boticario querría controlar a la familia más rica del pueblo, aunque ya no fueran tan ricos como lo fueron en el pasado y el pueblo se estuviera quedando en nada. Pero el Dr. Flammarion tendría muchos problemas con una joven promesa de la química que lo sabía todo sobre el láudano y sus peligrosas propiedades adormecedoras. Por eso se había desvanecido.

La parte de la historia que me confundía era la nota. Zada y Zora habían insistido en que la

Srta. Knight habría dejado una nota si se hubiera escapado, pero el Dr. Flammarion había dicho que no había tal nota. Sin embargo, yo había encontrado una especie de media nota; un mensaje escrito en tinta invisible que no había funcionado. La Srta. Knight era química. Tenía que saber que la tinta invisible casi nunca funciona. También parecía que le gustaba la ropa nueva, pero en la foto llevaba un gorro viejo. Mi cerebro me decía que tenía que haber una conexión entre el gorro viejo y la desaparición, pero yo le dije a mi cerebro que, si había una conexión, tenía que pensarlo él solo, porque mis ojos acababan de divisar una pista aún mayor en la calle.

—Para el coche —dije.

—Sé sensato —dijo Theodora—. Ni siquiera he llegado al número cuatro.

—Para el coche, por favor.

Paró el coche, quizás porque había dicho «por favor». Me bajé en la acera de una calle tranquila, aunque prácticamente todas las calles de Stain'd-by-the-Sea eran tranquilas. Eran tan tranquilas que si conducías por allí habitualmente tenías que notar cualquier cosa nueva, como los carteles de la Srta. Knight con la palabra «DESAPARECIDA» impresa. También te chocaría ver un enorme automóvil, especialmente si era uno de los automóviles más extravagantes que se fabricaban.

Me encontraba ante un Dilemma. Hay personas en el mundo que adoran los automóviles, y hay personas a quienes les importan un comino, y hay personas que quedan impresionadas por un Dilemma, y esas personas son todo el mundo. El Dilemma es una cosa tan tremenda de ver que me quedé mirándolo al menos diez segundos antes de acordarme de que debía pensar en él como una pista de un misterio a resolver y no como una maravilla de la ingeniería moderna. Era uno de los modelos más nuevos, con una pequeña bocina antigua colocada justo afuera de cada una de las ventanillas delanteras, y una reluciente palanca en el lado para bajar el techo por si en algún momento Stain'd-by-the-Sea te ofrecía un tiempo agradable, y era del color de cuando alguien te compra un cucurucho de helado sin motivo alguno.

Theodora había salido del descapotable y se quedó mirando el Dilemma tanto rato como yo.

—Debería darte vergüenza, Snicket —dijo, cuando recordó que era mi acompañante—. Se supone que estás aquí para buscar a la Srta. Knight, no para distraerte con un automóvil, aunque sea uno muy bonito y sea muy interesante contemplarlo y aunque te quieras quedar ahí plantado mirándolo porque es muy bonito e interesante de contemplar y te encuentres mirándolo fijamente un buen rato porque es tan bonito e interesante…

—Este coche pertenece muy probablemente a la Srta. Knight —dije para evitar que continuara—. Pocas personas pueden permitirse un Dilemma.

—Entonces debe de andar cerca —dijo Theodora mirando rápidamente a su alrededor en todas las direcciones de la calle vacía.

—Una vez leí algo —dije— sobre una persona que aparcaba el coche y luego se iba a otra parte.

—No seas impertinente —dijo Theodora con el ceño fruncido—. ¿Dónde puede haber ido?

Miré a la otra punta de la manzana. «Impertinente» es una palabra que en realidad quiere decir «no adecuado a las circunstancias», pero la mayoría de las personas lo usan con el fin de decir «estoy usando una palabra complicada con la esperanza de que dejes de hablar», así que me limité a señalar a la única tienda de comestibles que quedaba en el pueblo.

Partial Foods debió de ser en su momento un excelente colmado. No era un colmado excelente durante mi estancia en Stain'd-by-the-Sea. Tenía el aspecto de un excelente colmado que alguien hubiera empujado escaleras abajo. Para entrar en la tienda, pasabas por un par de enormes puertas de vidrio con tiradores metálicos con un grabado de frutas y verduras, pero las puertas estaban bastante agrietadas y costaba abrirlas. Había amplios estantes y arcones profundos listos para albergar enormes cantidades de suculentos manjares, pero al menos la mitad estaban vacíos, y el resto contenía comida que o estaba madura o estaba pasada, apelmazada o mustia, magullada o envuelta en demasiadas capas de plástico, u otras cosas que no me gustaban. El lugar era casi enorme y estaba casi desierto, así que tuvimos que divagar un rato entre los grandes y magros pasillos antes de encontrar a alguien con quien hablar. La propietaria de Partial Foods era una mujer que podía parecerte muy enfadada y muy aburrida al mismo tiempo y eso es lo que parecía cuando la encontramos. En la bata de tendera manchada, llevaba una etiqueta medio pelada, con su nombre, «Polly Partial».

—Buenos días —le dijo Theodora.

—¿Quiénes son ustedes? —preguntó Polly Partial. Estaba de pie junto a una cesta de melones chinos. No me gustan los melones chinos. No les veo la gracia.

—Me llamo S. Theodora Markson, y este es mi aprendiz —dijo Theodora, quitándome el cartel de la mano—. Estamos buscando a esta persona.

Polly Partial miró a la chica de ceño fruncido.

—Es Cleo Knight —dijo, señalando las palabras impresas encima de la fotografía.

—Sí, lo sabemos —dijo Theodora—. Me preguntaba si la habría visto usted recientemente.

—No es fácil saberlo —dijo Polly Partial—. Tiene la pinta de cualquier otra chica fugada, aunque sea de familia rica. ¿Hay recompensa? Con el dinero suficiente, podría retirarme y dedicarme a criar visones.

Los Knight no habían dicho nada de recompensas, pero Theodora no dijo nada sobre que no la hubiese.

—Solo si nos ayuda —dijo—. ¿Ha visto a esta chica?

La tendera entrecerró los ojos para mirar el cartel de nuevo.

—Ayer por la mañana —dijo—, a eso de las diez y media. Entró corriendo para comprar esa estupidez de desayuno que le gusta.

Nos guio por un pasillo y bajó una caja para que la viéramos. Eran los cereales Schoenberg, la marca que habían mencionado Zada y Zora. «Doce granos integrales combinados en una estricta secuencia», decía la etiqueta. No me cabía en la cabeza que a alguien se le ocurriera comerse algo así en una cocina en la que había bollos de canela recién hechos.

—Los Knight son los únicos que lo compran —dijo Polly Partial—, aunque normalmente se encarga una de sus criadas.

—¿Dijo algo? —preguntó Theodora.

—Dijo «gracias» —contestó Polly—, y luego dijo que se escapaba para unirse a un circo.

Mi acompañante se rascó la cabeza y dijo:

—¿Un circo?

—Eso es lo que dijo —contestó Polly.

—¡Ajá! —gritó Theodora.

—Entonces salió, se subió a un taxi y se largó.

—¡Ajá!

Yo no veía motivos para el «¡Ajá!», pero tampoco he sido nunca una persona muy de «¡Ajá!».

—¿Qué llevaba puesto? —pregunté.

Theodora me miró y suspiró exasperada.

—¿Qué te dije sobre interesarse por la moda? —dijo—. Un hombre que pregunta demasiado sobre ropa acabará por ser objeto de rumores poco halagadores.

—Ustedes mismos pueden ver lo que llevaba —dijo Polly Partial, y me devolvió el cartel—. La familia Knight siempre va de blanco y negro, en honor del negocio familiar y del papel en el que se usa la tinta. Recuerdo que el sombrero me sorprendió. No era negro ni blanco. Y parecía francés.

—Ha sido de gran ayuda, Sra. Partial —dijo Theodora—. Estoy segura de que los Knight se lo agradecerán.

—Claro que todo parece francés cuando te paras a pensarlo.

—Es usted un testigo muy fiable. —No pude evitar decirlo, y Polly Partial me miró como si no me hubiera visto en su vida.

—Va, esfúmense —dijo Polly—. Tengo que apilar latas de trucha.

Salimos de la tienda y nos plantamos en la calle. Sobre nuestras cabezas las nubes hablaban con el viento sobre si debía volver a llover.

—Bien, diría que el caso está resuelto —dijo Theodora, y el movimiento de su cabello le dio la razón—. El Dr. Flammarion tenía razón. No hay ningún crimen. La chica se ha escapado de casa. Llegó conduciendo al pueblo, compró las provisiones que necesitaba y cogió un taxi para irse a trabajar al circo. ¿Tienes alguna pregunta?

Yo tenía tantas preguntas que durante un

minuto lucharon dentro de mi cabeza por ser las primeras. «¿Por qué no necesitaba más que cereales?» era la ganadora. «¿Por qué no dejó una nota?» quedó en segundo lugar, seguida de «¿Por qué no se escaparía en su propio coche?».

Theodora agitó su mano enguantada ante mí, como si yo apestara.

—Sé sensato —dijo—. No hay ningún indicio de un delito. Yo misma escribiré el informe, y me llevaré los laureles por resolver el caso.

—Deberíamos investigar más —dije.

—Eso es lo que dijiste la última vez —me recordó Theodora, poniéndose el casco y abriendo la puerta del descapotable—, y lo único que has investigado ha sido a esta estúpida chica. Las chicas y la moda, Snicket. Te distraes con demasiada facilidad.

Sentí que me ruborizaba. No es una sensación que me guste. Las orejas se me calientan y la cara se me pone como un tomate, y no hay manera de ganar una discusión.

—Si no te importa volveré al The Lost Arms caminando —dije—, solo son un par de manzanas.

—Por supuesto —dijo Theodora—. Solo serías una quinta rueda si te quedases en nuestro cuarto mientras escribo el informe. Es más, Snicket, ¿por qué no desapareces hasta la hora de cenar?

Cerró la puerta del descapotable y se largó. Esperé que el sonido del motor se desvaneciera y luego me pasé otro minuto mirando otra vez el Dilemma. Incluso saqué una mano y posé la palma en una de las bocinas. «Una quinta rueda» es una expresión que significa que una persona no sirve de nada, igual que una quinta rueda en un automóvil no lo hace ir más rápido. No tenía sentido que la Srta. Knight fuese en coche hasta Partial Foods y luego tomase un taxi para ir a otra parte. Nunca necesitaría coger un taxi con un automóvil como aquel. Pero lo cogió. Pero no lo necesitaría. Pero lo cogió. Deja de discutir contigo mismo, Snicket, no vas a ganar nunca. Miré al suelo y deseé haber mirado antes. Uno de los neumáticos del Dilemma estaba deshinchado, de modo que, en lugar de ser redondo, tenía la forma de una patata vieja. Así no se podía ir muy lejos. Un Dilemma con un neumático pinchado era un recordatorio de que, por espléndido y reluciente que sea el mundo, puede irse al traste por algo que no notas hasta que el daño ya está hecho.

Me agaché para echar un vistazo más de cerca, y me encontré frente a una aguja. Era de las agujas con las que a los médicos les gusta pincharte, y salía del neumático pinchado.

—Hola —le dije a la aguja.

La aguja no dijo nada, ni tampoco nadie más. Saqué la aguja del neumático. No olía a nada, pero a un neumático no hacía falta inyectarle láudano. Con pincharlo era suficiente. Con cuidado de no pincharme, me puse la aguja en el bolsillo, me levanté y miré a mi alrededor. No había nadie. Como la mayoría de las manzanas del pueblo, esta no tenía más que casas y tiendas con ventanas y puertas cerradas con tablas y carteles con Cleo Knight mirándome desde la foto. Pero también había otro sitio que había querido visitar desde mi llegada a este pueblo. ¿Por qué no ahora?, pensé.

Hungry's era un lugar pequeño y estrecho, y una mujer grande y ancha, justo tras la puerta, pulía el mostrador con un trapo.

—Buenas tardes —dijo.

Yo repetí lo mismo.

—Hungry, para servirle —dijo ella.

—Pues, si esta usted hambrienta, coma usted antes de servirme.

Me frunció el ceño y me dio un menú.

—No, quiero decir que me llamo Hungry. Hungry Hix. Soy la propietaria. ¿Tiene hambre?

—¿De la de verdad?

—No se haga el graciosillo —dijo Hungry.

—Pero es que me alegra el día.

—Puede sentarse donde quiera.

Había unas cuantas mesas en una de las paredes, pero a mí siempre me gusta sentarme en la barra. Había un muchacho un poco mayor que yo, apoyado en un fregadero lleno de platos sucios, con un libro en la mano y unas greñas rojas sobre los ojos. El libro no lo conocía, pero me gustaba el autor.

—¿Qué tal está el libro?

—Bien —dijo sin levantar los ojos—. Un tío llamado Johnny se equivoca de tren y acaba en la Constantinopla de 1453. Los libros de este tipo son siempre buenos.

—Cierto —dije—, pero hay un montón que en realidad no los escribió él. Solo les pusieron su nombre. Tienes que tener mucho cuidado de que no sea uno de ellos.

—¿Es eso verdad? —dijo, dejó el libro, me sirvió un vaso de agua y me tendió la mano.

—Soy Jake Hix —dijo—. No te he visto nunca por aquí.

—Soy Lemony Snicket y nunca he estado aquí —le dije—. ¿Eres hijo de Hungry?

—Es mi tía —dijo Jake—. Trabajo para ella a cambio de techo y comida.

—Sé de lo que hablas —dije—. Yo soy aprendiz también.

—¿Aprendiz de qué?

—Es una larga historia —dije.

—Tengo tiempo.

—No lo tienes —gruñó Hungry, que pasó junto a Jake y le dio con un paño de cocina—. Tómale nota y friega los platos.

—No le hagas caso —dijo Jake cuando se aseguró de que su tía no podía oírle—. Está picajosa porque el negocio no marcha bien. Ya no entra casi nadie. Este pueblo se está quedando seco como si alguien le hubiera quitado el tapón. Tú eres el primer cliente que hemos tenido en todo el día.

—Pues no tengo dinero —dije.

Jake se encogió de hombros.

—Si tienes hambre te haré algo —dijo—. Es mejor que fregar los platos. ¿Te gusta la sopa?

No digas nunca que tienes hambre hasta que no sepas lo que pretenden prepararte.

—Me gusta la buena sopa —dije.

—Pues buena sopa será —dijo Jake con una sonrisa—, con empanadillas chinas.

Jake se puso manos a la obra en la cocina y yo dejé el cartel en la barra.

—¿Has visto a esta persona? —le pregunté.

Jake miró la fotografía y apartó la vista enseguida.

—Por supuesto —dijo—. Es la chica de los Knight. Hay carteles de esos por todo el pueblo.

—La estoy buscando —le dije.

—Todo el mundo la busca, por lo que parece.

—Has dicho que aquí no entran muchas personas —le dije—. ¿Es una de ellas?

Jake me dio la espalda para trocear algo con mucha fuerza y muy rápidamente antes de echarlo en una sartén que chisporroteaba.

—No hablo de mis clientes —dijo.

—Si está en apuros —dije—, la puedo ayudar.

Jake se volvió y me miró como si yo fuese una quinta rueda, al fin y al cabo. No parecía que lo hiciese a propósito, pero aun así no me gustó que me mirase de ese modo.

—¿Tú? —preguntó—. ¿Un desconocido que acaba de entrar en la cafetería?

—No soy un desconocido —dije, y le señalé el libro—. Leo los mismos autores que tú.

Jake lo estuvo considerando un momento y la comida empezaba a oler bien.

—La Srta. Knight estuvo aquí ayer por la mañana —dijo—, a eso de las diez y media.

—¿Las diez y media? —le pregunté—. ¿Estás seguro?

—Claro que estoy seguro —respondió.

—¿Desayunó?

—Té —dijo él—. Le ayuda a pensar.

—¿Dijo algo?

Jake me miró con curiosidad.

—Dijo «gracias».

—¿Alguna otra cosa?

—No sé lo que has oído, Snicket, pero la Srta. Knight no es amiga mía. Es solo una clienta.

—¿Qué ropa llevaba?

—La misma que en la foto.

—A ver si lo adivino —dije—. Luego, se subió a un taxi.

—¿Un taxi? —repitió Jake con una carcajada—. Sí que eres un desconocido. ¡Cleo en un taxi! La Srta. Knight tiene un flamante Dilemma que es mucho mejor que ningún taxi.

—No hace falta que nos insultes, Jake —dijo una voz que venía de la puerta.

Dos chicos acababan de entrar en Hungry's y eran dos chicos que yo conocía. Se llamaban Bouvard Bellerophon y Pecuchet Bellerophon, cosa que explica por qué todo el mundo los llamaba Pela y Cañas. Trabajaban de taxistas cuando su padre estaba enfermo, y por lo visto el padre estaba enfermo hoy. Les dije «hola» y Jake dijo «hola» y ya dimos por supuesto que todos nos conocíamos.

—Le estoy haciendo sopa a Snicket —dijo Jake—. ¿Queréis un poco?

—Por supuesto —dijo Pela—. Hoy no hay mucho curro.

—¿Entonces me podéis llevar después de comer? —les pregunté.

—Claro —dijo Cañas con voz de pito—. Hemos aparcado ahí afuera. ¿Vas a ver a tu amiga de Handkerchief Heights?

—Ya no vive allí —dije—. ¿Cómo está vuestro padre?

—Preferiríamos no hablar de eso —dijo Cañas.

—Entonces, ¿de qué deberíamos hablar?

—De libros —dijo Jake, y nos sirvió la sopa. Después de la primera cucharada supe que me la comería toda. Las empanadillas chinas sabían a gloria y el caldo se expandía por mis venas como un secreto que te divierte guardar. Quería contarle el secreto a mi hermana, a quien le habría encantado la sopa, pero estaba allá en la ciudad, haciendo cosas equivocadas mientras yo hacía preguntas equivocadas, así que no la podía compartir. A Pela y Cañas probablemente les habría gustado compartir la sopa con su padre, y me hacía una idea de con quién la querría compartir Jake. Pero no hablamos de eso. Hablamos del autor del libro que estaba leyendo. Estuvo bien. Me acabé la sopa y me limpié la boca y le pregunté si se le ocurría algo más que contarme sobre la Srta. Cleo Knight. Dijo que no. No me decía la verdad, pero no se lo podía tener en cuenta. Yo tampoco le iba contando a la gente mis preocupaciones. Me levanté, Pela y Cañas se levantaron, y salimos de Hungry's en dirección al taxi. Cañas entró y se agachó al lado de los pedales del freno y el gas, y Pela colocó unos libros para sentarse encima y alcanzar el volante. Me senté detrás, moviéndome con cuidado para no pincharme con la aguja que llevaba en el bolsillo.

—¿Adónde vamos, Snicket? —me preguntó Pela.

—Al faro —dije, lo que me recordó un libro que hace tiempo que quiero leer—. Necesito un corte de pelo.

CAPÍTULO 4

Probablemente, la mayoría de personas que veían el faro que había a las afueras de Stain'd-by-the-Sea lo consideraban una quinta rueda. En otros tiempos se alzaba sobre un acantilado que daba a las agitadas aguas del mar, pero, desde que el mar se había secado, solo quedaban bajo la vigilancia del faro unos pequeños pozos de tinta y la gran extensión espeluznante del Clusterous Forest. Allí los barcos no podían navegar, así que no hacía falta que ningún faro los guiase con un haz de luz. Además, el faro había sido anteriormente la sede del único diario de Stain'd-by-the-Sea, *The Stain'd Lighthouse*, pero en la actualidad no había tinta suficiente para las noticias y apenas gente que las leyera.

Pero el faro no era una quinta rueda, ya que alguien que vivía allí era aún una excelente periodista, aunque *The Stain'd Lighthouse* hubiera cerrado. Se llamaba Moxie Mallahan, y era amiga mía, aunque no parecía muy amigable cuando abrió la puerta.

—¿Qué hay de nuevo, Moxie? —dije.

Ella me miró frunciendo el ceño, con su habitual sombrero de ala que, al menos hoy, parecía también fruncir el ceño.

—Lemony Snicket —dijo.

Raras veces es buena señal que alguien te llame por tu nombre completo, a no ser que vaya después de «Tengo un paquete para...».

—Sé que no he estado por ti últimamente, Moxie —le dije.

—Estaba aburrida —dijo Moxie—. Ya sabes que no queda mucha gente de nuestra edad en este pueblo.

—No te enfades —dije—. He encontrado algo que seguro que te parecerá interesante.

—Si tiene algo que ver con aquella chica que se llevó la estatua —dijo Moxie—, no me interesa en absoluto.

Moxie me había ayudado en mi último caso y había visto desaparecer a Ellington Feint con la Bombinating Beast.

—No tiene nada que ver con ella —dije, sin decir su nombre y sin saber que me equivocaba.

Moxie seguía con el ceño fruncido, pero ahora parecía que tenía la intención de relajarlo.

—¿Y?

—Estoy buscando a la chica de los Knight.

—Tú y todo el pueblo —dijo Moxie—. He visto ese cartel colgado en todas partes.

—Theodora y yo llevamos el caso —dije—, pero necesito tu ayuda.

Me miró y pensó. Detrás de ella vi la máquina de escribir que se replegaba dentro de su propio maletín. Moxie siempre tenía la máquina de escribir a mano por si necesitaba tomar notas sobre lo que pasaba. Sabía que su curiosidad sobre todo lo que pasaba en el pueblo me abriría la puerta de su casa, y ahí no me equivoqué. Antes de entrar, di unas voces a los hermanos Bellerophon para preguntarles si les importaría esperar. Dijeron que no, siempre que les diera otro dato como propina si me llevaban a otro sitio. Les dije que de acuerdo. La propina que les había dado por el viaje al faro fue el dato de los libros de un autor que en realidad no están escritos por el autor. Era un dato pasado, ya que se lo había dado ya a Jake, pero era el único que tenía a mano.

Seguí a Moxie hasta la cocina. La cafetera estaba hirviendo, y eso me decía que su padre andaba cerca, pero Moxie no lo mencionó; se limitó a hacer que me sentara a la mesa y puso la máquina de escribir entre los dos.

—¿Qué pasa con el caso? —preguntó—. ¿Dónde está Cleo Knight? ¿Cuándo desapareció? ¿Con quién has hablado? ¿Te apetece un té?

—No, gracias —dije, respondiendo solo a la última pregunta—. Pero esperaba que me pudieras cortar el pelo. No he visto ninguna barbería en el pueblo.

—La última cerró —dijo—, pero no te voy a cortar el pelo, Snicket, hasta que me cuentes lo que pasa.

—Te lo contaré —le dije— mientras me cortas el pelo. Un corte de pelo puede ayudar a resolver este caso. Coge un cuenco, hazme el favor.

Me miró con escepticismo. Ser escéptico es bueno en un periodista, porque significa que no te fías completamente de nadie. Intenté devolverle una mirada que significase «es bueno ser escéptica pero no seas escéptica ahora mismo». No sé si mi mirada se entendió, pero ella cogió unas tijeras y un cuenco pequeño que me colocó, boca abajo, sobre la cabeza. Espero fervientemente que esta parte del relato, si alguna vez se publica, no lleve ilustración, porque cualquiera con un tazón en la cabeza tiene pinta de imbécil. Moxie dio unos tijeretazos en el aire para desencajar las tijeras y empezó a cortar, y yo empecé mi relato.

—Cleo Knight se despertó ayer por la mañana y desayunó sus habituales cereales Schoenberg —dije—. Llevaba ropa recién estrenada en colores blanco y negro, y un sombrero viejo de un tono rosado. Se escapó para irse con un circo y no dejó ninguna nota. Pero eso no puede haber pasado, porque es una química brillante y no una artista de circo, y las personas que mejor la conocen dicen que, definitivamente, ella habría dejado una nota. Polly Partial la vio en Partial Foods a las diez y media cuando compraba cereales Schoenberg y vio que se iba en un taxi, pero eso tampoco pudo pasar, porque llegó allí conduciendo su flamante Dilemma.

—Es un coche estupendo —dijo Moxie.

—Cuidado con las orejas —dije—. Bien, Jake

Hix también vio a Cleo Knight, también a las diez y media, y se fue en el Dilemma. Pero eso no puede haber pasado, porque el Dilemma está aparcado aquí cerca con un neumático pinchado.

—Son muchas las cosas que no pueden haber pasado —dijo Moxie.

—O Polly Partial se equivoca —dije—, o se equivoca Jake Hix.

—O se equivocan los dos.

—También es verdad. ¿Conoces a alguno de ellos?

—Los conozco a los dos —dijo Moxie—, pero no muy bien. Estoy pensando en los Knight. Deben estar muertos de preocupación.

—Las amas de llaves son las que están muertas de preocupación —dije—. El señor y la Sra. Knight están en un estado de delirio pausado.

—No sé lo que significa eso —dijo Moxie, pasando a la parte de atrás de mi cabeza.

—Significa que su boticario particular les está administrando inyecciones regulares de láudano

—dije—. Es una droga que te deja adormilado. ¿Qué sabes sobre la familia Knight?

Moxie me rodeó hasta ponerse frente a mí y frunció el ceño. No sabía si lo hacía por pensar en los Knight o para ver cómo había quedado el corte de pelo.

—Bueno, Ingrid Nummet Knight, la abuela de Cleo, fue el genio que fundó Ink Inc. junto con su socio empresarial, el coronel Colophon, el héroe de guerra más grande de nuestro pueblo. Ingrid murió hace un tiempo y dejó la empresa a su hijo, Ignatius Nettle Knight. El padre de Cleo no es para nada un genio, ni tampoco es científico. Es un magnate, que es una especie de hombre de negocios, y los negocios no han ido bien.

—Y que lo digas.

—Ya lo he dicho.

—Déjate de bromas, Moxie. ¿Qué le pasó al socio empresarial?

—El coronel Colophon ha sufrido unas terribles lesiones.

—La guerra es terrible.

—Lo es —dijo Moxie—, pero el coronel Colophon no se lesionó en la guerra. Se lesionó en la ceremonia de inauguración de una estatua que se erigió en su honor. Era una estatua gigantesca, colocada justo delante de la biblioteca, que lo representaba a él desenredando la cometa de un niño de las ramas de un árbol, mientras a su alrededor se libraba una batalla furiosa. Pero hubo una explosión en la inauguración que le provocó al coronel terribles quemaduras. Se construyó una clínica especial, muy a las afueras del pueblo, para ayudarle con las lesiones. Envolvieron al coronel en tantas vendas que parecía una momia. Desde entonces vive en la clínica. Yo soy demasiado joven para recordarlo, pero seguro que salió una foto en el periódico. Te la puedo buscar, si quieres.

—No, gracias —dije—. Ya sé qué pinta tiene una momia. Pero volvamos a la familia Knight. ¿Cómo arruinó la empresa el padre de Cleo?

—Él tuvo la idea de drenar el mar, para que Ink Inc. pudiera extraer los restos de los pozos de tinta de pulpos. Un plan demasiado caro.

—Caro o no, si no lo hubiera hecho, no habría tinta en este pueblo.

—Eso es lo que va a pasar de todas formas —dijo Moxie con tristeza, y dejó las tijeras.

—Los últimos pulpos viven ahí abajo, en esos pozos. Un día esas enormes agujas se encontrarán con que han pinchado el último pozo, y entonces no quedará nada. No quiero ni pensarlo.

—A mí tampoco me gustan las agujas —dije, y saqué una del bolsillo.

—¿Qué es eso? —dijo Moxie.

—Otro tipo de aguja —dije—. De las que usan los médicos.

—No deberías ir por ahí con una aguja hipodérmica en el bolsillo, Snicket.

—Es verdad —dije—, podría pincharme. Esta aguja es lo suficientemente grande como para pinchar un neumático.

—Como el neumático del Dilemma —dijo Moxie—. ¿La encontraste allí?

—Eres muy buena periodista, Moxie.

—Sí —dijo Moxie—, pero no soy muy buena peluquera.

Me quitó el cuenco de la cabeza y levantó ante mí una sartén tan brillante que en ella podía observar mi reflejo. No era una estampa que quisiera ver ilustrada, pero tampoco era tan horripilante.

—Te pareces a Stew Mitchum —dijo.

—Gracias.

—No es lo que quería decir. Lo que quiero decir es cómo te va a ayudar el corte de pelo a detener a ese médico.

—¿Detener al Dr. Flammarion?

—¿No sospechas de él?

—Bueno, es sospechoso —dije—, pero ¿por qué iba a secuestrar a Cleo?

—Para que los Knight le paguen un buen rescate.

—Se encuentran en un estado de delirio pausado tal que podría robarles lo que quisiera sin hacer el esfuerzo de secuestrar a nadie. Además, casi todo el dinero de la tinta se ha esfumado.

Moxie suspiró y me miró con atención.

—¿Es esto obra de Hangfire?

—Bien —dije—, es pura maldad. Pero exactamente qué tipo de maldad es lo que voy a averiguar.

—¿Tú y Theodora? —me preguntó.

—Theodora se cree la historia del circo.

—¿Qué crees tú?

—Yo creo que debo volver al pueblo —dije.

—Yo creo que debo ir contigo.

—Moxie…

—No discutas conmigo, Snicket. Quiero averiguar lo que sucede. Ahora barre el pelo mientras tomo unas notas.

Encontré una escoba, y Moxie se volvió hacia la máquina de escribir. Yo barría y ella les daba a las teclas con furia. Algunas personas se ponen tan sentimentales que guardan bucles de pelo de la gente que aman, pero nadie quería lo que yo estaba barriendo. Pensé en el padre que perdió Ellington Feint, y me pregunté si habría dejado algo que ella pudiera guardar por motivos sentimentales. Moxie empezó a teclear aún más rápido, como si supiera que estaba pensando en eso y le molestara. Eché el pelo en el cubo de basura y ella cerró la máquina de escribir.

—Vámonos —dijo Moxie.

—¿No le dices a tu padre que te vas?

—¡Me voy! —le gritó a su padre, y salió del faro hacia el taxi que esperaba.

—¿De regreso al pueblo, Snicket? —preguntó Pela, mientras su hermano gateaba hacia los pedales.

—A Partial Foods, por favor —dije—, y si queréis historias sobre sucesos extraños, permitidme recomendaros un libro sobre una chica que se llama Amanda, que es o una bruja o una hermanastra, o las dos cosas.

Pela puso en marcha el motor y me pasó un trozo de papel.

—Suena bien —dijo—. ¿Me apuntas el título, por favor?

—Lo hará si respondes una pregunta —espetó Moxie—. Pela, ¿llevasteis tú y tu hermano a Cloe a alguna parte ayer por la mañana, digamos a eso de las diez y media?

Es difícil darse cabezazos contra la pared si estás en el asiento trasero de un coche, así que me imaginé que me los daba por no haber hecho yo esta pregunta.

—Cleo Knight no ha estado nunca en nuestro taxi —dijo Cañas desde el suelo—, y tampoco la culpo, con un Dilemma como ese.

—Entonces Polly Partial mentía —me murmuró Moxie—, y Jake Hix decía la verdad.

Puse la imagen de Polly Partial en mi mente y luego la de Jake Hix a su lado. La tendera era una persona desagradable, pero no tenía pinta de mentirosa. Jake Hix, por otro lado, me parecía un tipo decente que leía buenos libros y hacía buena sopa. Pero aunque no sabía cuál era la verdad, sabía que no me la había dicho cuando le pregunté sobre Cleo Knight.

—Está bien saber quiénes son los buenos y quiénes los malos —continuó Moxie, pero yo negué con la cabeza. Se suele decir que las personas hacen cosas porque son buenas o malas, pero en mi experiencia eso no funciona así. Ellington Feint, por ejemplo, había mentido y robado, pero no porque fuese una persona malvada. Ella era una buena persona, forzada a hacer cosas malas para liberar a su padre de las garras de Hangfire. Mi hermana, por poner otro ejemplo, era sin duda una buena persona, pero pronto cometería un delito con una de las piezas del museo.

—Aquí estamos —dijo Pela, indicando con un golpecito a su hermano que pusiera el freno—. Partial Foods. ¿Quieres que me vuelva a esperar, Snicket?

—No, gracias —dije, y le entregué el trozo

de papel—. ¿Puedes leer lo del final? Dice «sin cabeza».

Pela asintió, pero en realidad estaba mirando más allá del parabrisas. Moxie y yo salimos del coche y los hermanos Bellerophon se fueron por la calle vacía.

—No te alejes mucho —le dije a la periodista—, pero es mejor que no te vean conmigo.

Moxie abrió su máquina de escribir.

—¿Por qué no?

—Porque están a punto de arrestarme —dije, y entré decidido en el supermercado. Tenía el mismo aspecto destartalado de siempre. Caminé por el local unos minutos y Moxie caminaba al mismo tiempo, aunque siempre por un pasillo distinto, y siempre poniendo cara de buscar un artículo específico. Encontré a Polly Partial justo a tiempo, llevando un carro con latas de sopa hacia un rincón remoto del local.

—Hola —dije—. Me alegro de verla de nuevo.

Polly frunció el ceño y dijo:

—No me acuerdo de ti.

—Tiré un expositor una vez —dije—, y unas piñas cayeron rodando por toda la tienda.

—Ah, sí —dijo Polly, soplándose el entrecejo, que cada vez parecía más fruncido.

—No —dije—, yo no hice eso. Me volví y caminé rápidamente hacia la cesta de melones chinos. Si en un sitio encuentras melones chinos, también puedes encontrar otros melones. Todos los demás melones son mejores. No hay motivo alguno para tener melones chinos en ninguna circunstancia en absoluto. Cogí dos melones chinos con las manos, me aseguré de que Polly Partial me estuviese mirando, y luego salí pitando por la puerta. Oí que Moxie daba un gritito ahogado.

—¡Alto, ladrón! —me gritó Polly Partial—. ¡Para o llamo a la policía!

Por supuesto que no paré. Lo que quería es que llamara a la policía.

CAPÍTULO 5

Oí la sirena de la policía antes de lo que esperaba. Tuve el tiempo justo para arrodillarme junto
al bordillo y esconder rápidamente los melones
chinos bajo el Dilemma. Me puse de pie y me sacudí los pantalones justo cuando el abollado furgón de los únicos policías de Stain'd-by-the-Sea
se detuvo frente a Partial Foods. Como de costumbre, había una linterna roja sujeta con cinta
adhesiva al techo del coche, en lugar de la habitual luz intermitente de un coche patrulla, y el

sonido de la sirena procedía de un chaval de mi edad sentado en la parte de atrás. Stew Mitchum tenía la habilidad de imitar el sonido irritante de la sirena, y no era la única habilidad irritante que había demostrado tener. Era la clase de niño ruin con todo el mundo pero que se portaba como un ángel cuando sus padres estaban mirando. No hay nada que hacer con esa gente. Es mejor ni siquiera hablar de ellos, pero Stew me vio y salió del coche mientras sus padres entraban en Partial Foods. Harvey y Mimi Mitchum estaban discutiendo, como siempre, y Stew lucía su habitual sonrisa retorcida.

—Pensaba que te habías ido, Caramelito de Limón —me dijo—. En Stain'd-by-the-Sea no hay sitio para los idiotas.

—¿En serio? —dije—. He oído que consiguen trabajo haciendo de sirena de policía.

—Me encanta que el trabajo de la policía te parezca tan divertido —dijo Stew—. Mis padres han recibido un informe sobre un joven ladrón en Partial Foods. Tú no sabrás nada, ¿verdad?

—No he venido más que para admirar este Dilemma —dije— y, por supuesto, para charlar con una persona tan encantadora como tú.

—Dime otra vez que soy encantador y te doy un puñetazo —ladró Stew, pero entonces tuvo que dedicarme una amplia y amistosa sonrisa, porque los Mitchum salían del supermercado.

—¡Mami! ¡Papi! —dijo Stew, corriendo hacia los agentes—. Os echaba tanto de menos.

—Qué tesoro —dijo Mimi Mitchum, y su hijo le dio un abrazo tan fuerte como fingido—. Nosotros también te echábamos en falta, Stewie. Pero tenemos un delito que investigar.

—Un importante delito —corrigió su esposo.

—Todos son importantes, Harvey.

—Pero algunos más importantes que otros.

—No creo que debamos discutirlo delante del N-I-Ñ-O.

—Stewart te entiende cuando deletreas «niño», Mimi. No hace ninguna falta deletrearlo.

—Y tampoco hace ninguna falta que me vayas dando órdenes, Harvey.

—Mimi...

—No me vengas con «Mimi», Harvey.

—Bueno, no me vengas tú con «Harvey».

—¿Cómo no te voy a venir con «Harvey» si tu nombre es Harvey?

No llevaba mucho en Stain'd-by-the-Sea, pero había aprendido ya hacía tiempo que los agentes Mitchum iban a continuar discutiendo hasta que alguien les interrumpiese.

—Hola, agentes —dije—. Hacía mucho que no nos veíamos.

Harvey y Mimi Mitchum dejaron de gruñirse el uno al otro y dirigieron sus ojos hacia mí. Tenían una mirada que probablemente ellos consideraban intimidante. La palabra «intimidante» significa que tenían la intención de asustarme, pero en realidad me pregunté qué habrían comido para tener tan mala cara.

—Lemony   Snicket—dijo   Harvey   Mitchum—. La última vez que te vi coincidió con aquel embrollo de la estatua robada, y ahora apareces en la escena de otro robo.

—Un robo—dije—. ¡Corcho!

—No digas tacos —me dijo Mimi Mitchum, tapándole los oídos a Stewie.

—Pues tú acabas de decir «tacos» en la frase «no digas tacos» —dije. Estaba siendo insolente, pero temía que si era educado no me arrestarían.

—Ya basta —dijo Harvey Mitchum—. Estás detenido, Snicket. Te vienes con nosotros.

Me sujetó por el brazo, y entonces Mimi Mitchum dijo que era ella la que debía llevarme del brazo porque él había llevado del brazo a las tres últimas personas que habían detenido, y Harvey dijo que no importaba para nada quién llevara del brazo a los detenidos, y Mimi dijo que, si no importaba quién llevara del brazo a los detenidos, por qué no podía ser ella quien me llevase a mí del brazo, y él dijo que prefería no seguir hablando delante del N-I-Ñ-O, y Mimi le recordó que él le había recordado a ella que su inteligente y sensible niño sabía sin ninguna duda deletrear una simple palabra de cuatro letras, al contrario que yo, que usaba tacos todo el tiempo y debía ser detenido inmediatamente. Era interesante ver la cara de Stewie mientras sus padres discutían. Me recordó a un tiburón que había visto una vez en el acuario, dando vueltas sin parar mientras unos niños de primaria golpeaban el cristal. Llegará un día, parecía estar pensando el tiburón, en que no esté encerrado como ahora. Estaré en aguas abiertas, allí donde vosotros vayáis a nadar. Y ese día, mejor que os andéis con cuidado.

Pero no fue Stew quien interrumpió la pelea de los Mitchum.

—¿Qué sucede, agentes? —dijo Moxie Mallahan saliendo de Partial Foods y llevándose la mano al ala del sombrero. Ahí guardaba las tarjetas de visita, con su nombre y profesión. Le dio una a cada uno de los Mitchum para recordarles quién era. No parecían muy contentos de que se lo recordase.

—Es un asunto policial —dijo el agente Mitchum—. Se ha producido un robo de melones chinos en Partial Foods, y acabamos de detener a un sospechoso.

—¿A quién han detenido? —preguntó Moxie—. ¿Por qué le han detenido?, ¿cómo han decidido que era un sospechoso?, ¿qué pruebas tienen?, ¿dónde están los melones?

—Este jovencito —dijo Mimi Mitchum señalándome— estaba merodeando junto al supermercado. Tiene un historial de actividades sospechosas. Nos lo llevamos a la comisaría para que el testigo lo identifique. Aún es demasiado pronto para hacer conjeturas, pero yo no me sorprendería si este Snicket termina en la cárcel una buena temporada.

Los Mitchum siempre decían que era demasiado pronto para hacer conjeturas. Aparentemente les gustaba hacer las cosas pronto.

—¿Les importa que les acompañe? —preguntó Moxie—. Me gustaría ver cómo se resuelve esto.

—Ya no quedan periódicos en este pueblo —dijo Harvey Mitchum con desconfianza—. ¿Cómo es posible que trabajes de periodista?

—Esa es la pregunta equivocada —dijo Moxie sonriendo—. La pregunta es cómo puede enterarse el pueblo de lo que pasa si no hay nadie para informar.

Los dos agentes Mitchum refunfuñaron, se encogieron de hombros y abrieron la puerta trasera del furgón para acomodarnos a todos dentro. Moxie entró primero, después yo y después Stew. El sitio del medio es incómodo, pero Stew tiene la costumbre de pellizcar, y pensé que a Moxie le convenía ahorrárselo. Era lo menos que podía hacer. Después de una breve pelea sobre quién conducía, Mimi arrancó y Stew emitió su ruido de sirena a través de la ventana mientras el furgón recorría el pueblo.

La comisaría de Stain'd-by-the-Sea era la mitad de un edificio que había sido el ayuntamiento. La otra mitad era la biblioteca, donde yo pasaba una buena parte de mi tiempo. El edificio era una sombra de lo que fue, lo que quiere decir que antaño tenía buen aspecto pero ahora se estaba deteriorando como el resto del pueblo, con dos grandes columnas que se desmoronaban y una escalinata en la entrada llena de grietas. Harvey Mitchum me sacó del coche, y Moxie y Stew nos siguieron mientras Mimi Mitchum giraba el furgón en redondo y se marchó. Caminamos por el césped hasta el edificio pasando junto a una escultura tan estropeada que nunca había podido identificarla. Esta vez la miré de una manera diferente. Pensé en un héroe de guerra, y en el día en que la estatua había sido destapada.

La comisaría resultó ser una habitación alargada, del tamaño de un autobús. En la parte trasera del autobús estaba la única celda de Stain'd-by-the-Sea, con gruesos barrotes metálicos y un catre pequeño para que durmiera el preso. No había ningún preso, ni dormido ni despierto. El resto de la habitación estaba ocupado con escritorios, mesas, archivadores y las interminables pilas de papel que les dan a todas las oficinas el mismo aire aburrido.

—Mira, Snicket —me dijo Harvey Mitchum—. Vamos a seguir el procedimiento al pie de la letra. Polly Partial ha dicho que un chaval de más o menos tu edad ha robado dos melones chinos en su tienda. Mimi ha ido a buscarla para reconocerte en una rueda de identificación, que quiere decir fila de sospechosos, en lenguaje policial.

Se abrió camino a tropezones hasta una gaveta y sacó tres gorras sucias y tras cartones con unas asas de cordel grapadas. Frunció el ceño y me señaló una pared vacía y sucia.

—Colócate ahí —ladró— y ponte esto.

Me tendió una gorra y un cartón cuadrado. La gorra anunciaba el Manchas de Mar de

Stain'd-by-the-Sea, un equipo deportivo que ya no existía, y el cartón cuadrado resultó ser un cartel con el número uno garabateado.

—Hijo —le dijo a Stew—, ¿me haces un favor y te colocas al lado del chaval detenido?

Stew se giró para que su padre no le viese haciéndome burla y luego se situó a mi lado mientras su padre le colocaba una gorra y un cartel. La gorra de Stew era igual. Su cartel llevaba una «B».

—Necesitamos una tercera persona —masculló el agente Mitchum, y paseó sus ojos por la habitación. Se detuvo en Moxie, que ya estaba tecleando en su máquina de escribir.

—Jovencita —dijo— necesito su ayuda.

—Por supuesto, agente —dijo.

—Por favor, ayúdeme a mover el pequeño archivador para que quede junto a los chicos —dijo Harvey Mitchum, y el agente y la periodista arrastraron el archivador hasta ponerlo en línea con Stew y conmigo. El agente asintió satisfecho con el resultado y puso una gorra y un cartel en equilibrio sobre el mueble. El cartel del archivador tenía simplemente garabateada una estrella, del tipo que la profesora pone en la parte de arriba de la hoja de tus deberes para indicar que están bien hechos o que no los ha leído con atención.

Los tres estuvimos allí parados un minuto. No sé qué estaría pensando Stew. El archivador no estaba pensando nada. Pero yo pensaba: ¿Es así el mundo? ¿De verdad es aquí donde has ido a parar, Snicket? Era una duda que me asaltó, igual que te puede asaltar a ti cuando está sucediendo algo ridículo o algo triste. Me preguntaba si era aquí realmente donde debía estar o si había otro mundo en alguna parte, menos ridículo y menos triste. Pero nunca he sabido la respuesta a esa pregunta. Tal vez había estado en otro mundo antes de nacer y no lo recuerdo, o tal vez vería otro mundo cuando muriese, para lo cual no tenía ninguna prisa. Mientras tanto, no conocía más que el mundo en el que me encontraba. Mientras tanto, estaba atrapado en esta comisaría, ocupado en algo tan ridículo que me sentía triste y me sentía tan triste que era ridículo. El mundo de la comisaría de policía, el mundo de Stain'd-by-the-Sea y todas las preguntas equivocadas que me hacía, era el único mundo que veía.

—Cierra los ojos —dijo Harvey Mitchum—. Cierra los ojos hasta que yo te diga.

Cerré los ojos y oí los pasos de dos personas que entraban en comisaría de mala gana.

—Ya estamos, Sra. Partial —dijo Mimi Mitchum—. Eche una buena ojeada a la rueda de reconocimiento que le hemos preparado.

—¿Uno de ellos es el ladrón?

—Eso nos lo tiene que decir usted, señora. Recuerde, puede ver a los sospechosos, pero ellos no pueden verla a usted. Entonces, ¿reconoce usted a alguno de estos tres individuos? ¿El ladrón que robó en su tienda es el número 1, el número B o el número estrella?

Hubo un pequeño silencio tenso mientras Polly Partial nos escrutaba. Incluso Moxie dejó de teclear.

—Número B —dijo por fin—. Sí, es el número B. Ese es el ladrón.

Oí a Harvey Mitchum respirar profundamente.

—¿Cómo se atreve? —tronó—. El número B es mi hijo, Stew. Él no puede haberse llevado esos melones chinos. Ha estado conmigo todo el día, y nunca come fruta ni verdura.

—No me gusta el sabor —explicó Stew.

—Y no tiene por qué gustarte, cariño —dijo Mimi Mitchum en tono infantiloide.

—El número B es el único que reconozco —insistió la tendera—. Lo juraría sobre la tumba de mi madre, si estuviera muerta.

—Le agradecemos mucho su ayuda, Sra. Partial —dijo Harvey Mitchum con una voz poco agradecida—. Mi mujer la llevará de vuelta a la tienda.

—¿Por qué tengo que llevarla yo? —preguntó la agente Mitchum—. ¿Por qué no vas tú para variar?

—Porque tú tienes las llaves del coche, Mimi.

—¿Así que ahora tengo que conducir y además custodiar las llaves del coche? ¿Por qué no te quedas con los pies en el escritorio como siempre, si tengo que hacer yo todo el trabajo de la policía en Stain'd-by-the-Sea?

—Yo no pongo los pies en el escritorio.

—¡Claro que sí! Los bajas en cuanto entro en la comisaría, pero no me engañas, Harvey. Tengo ojos de avestruz.

—Los avestruces no tienen una vista particularmente buena. Querrás decir un águila.

—¡Tú qué sabes lo que quiero decir!

—Bueno, no digas que eres un avestruz cuando en realidad eres un águila.

—Soy una mujer, Harvey. ¡No me llames pájaro, imbécil!

—¡No me llames imbécil, estúpida!

—¡No me llames estúpida, cabeza hueca!

—No importa —dijo Polly Partial—, ya me vuelvo caminando al supermercado.

Los Mitchum musitaron algo que no logré entender con el ruido de la máquina de escribir de Moxie, y entonces oí los pasos de la Sra. Partial saliendo por la puerta y bajando las escaleras.

—Ya puedes abrir los ojos, hijo —dijo Harvey Mitchum con un suspiro—. Tú también, Snicket.

Al parecer, el archivador tenía que seguir con los ojos cerrados. Me quité el gorro y el cartel y se los tendí al agente.

—Todavía pienso que tienes algo que ver con este caso —dijo—, pero no tengo pruebas.

—Puede estar mal de la vista —dijo su esposa—. Polly Parcial no está en la primera juventud.

—Yo diría que no está ni en la segunda juventud —asintió Harvey Mitchum—, ni en la tercera. No reconocería la pantalla de una lámpara aunque se la pusieras de sombrero.

—Puede ser la vista —dije— o también puede ser que ve tanta gente entrando y saliendo de la tienda que no distingue a unos de otros. La cuestión es que no es un testigo fiable.

—Tienes razón —admitió Harvey Mitchum, y se sentó en uno de los escritorios—. Bueno, al menos hoy hemos resuelto un caso. No está mal.

—Cierto —convino Mimi Mitchum—. Hemos logrado cerrar el caso Knight.

Sacó un pañuelo del bolsillo, humedeció una punta con la lengua, e intentó quitar una mancha de la cara de Stew mientras él luchaba por liberarse. Moxie y yo nos miramos.

—¿La joven desaparecida? —pregunté.

—La Srta. Knight no ha desparecido —dijo Harvey, y puso los pies sobre la mesa—. Vimos los carteles por el pueblo y nos preguntamos por qué nadie nos había llamado, pero nos encontramos con tu socia Theodora y ella nos dijo que no había ningún crimen. Vieron a la Srta. Knight huir para unirse al circo.

—La persona que la vio no reconocería la pantalla de una lámpara aunque se la pusieras de sombrero.

Mimi lanzó una mirada severa a Harvey y le quitó los pies de la mesa de un empujón, antes de lanzarme a mí una mirada exactamente igual de severa.

—¿Qué quieres decir? —preguntó.

Miré a Moxie, y la periodista me devolvió la mirada llevándose la mano al sombrero y se encogió ligeramente de hombros. Yo sabía lo que significaba ese gesto. Significaba que los Mitchum no eran buenos agentes de policía, pero eran buenas personas. Siempre intentarían ayudar a alguien en peligro. Iban a fracasar, pero al menos lo intentaban, incluso si el problema era un par de melones robados que nadie debería comerse. Cleo Knight se había metido probablemente en un problema mucho mayor, así que debía decirles lo que sabía, incluso si pensaba que no sería de mucha ayuda. Era mucho decir con un gesto, pero esa es una habilidad de los buenos periodistas. Y de los buenos amigos.

—Polly Partial vio a alguien comprando cereales y subiendo a un taxi, pero no era Cleo Knight. La Sra. Partial no me reconoció después de cortarme el pelo y no ha sido capaz de diferenciar a su hijo de un archivador.

Stew me estaba sacando la lengua, pero sus padres escuchaban atentamente.

—¿Entonces dónde está la hija de los Knight? —preguntó Mimi.

—Hay dos personas que pueden saberlo —dije—. Una de ellas es Jake Hix, que trabaja en Hungry's. También él la vio esta mañana, y hasta ahora su historia encaja. El otro es el Dr. Flammarion.

Harvey Mitchum frunció el ceño y volvió a subir los pies a la mesa.

—¿Flammarion?

—Los Knight le contrataron para que fuera su boticario particular. Les ha inyectado tanto láudano que apenas son conscientes de que su hija ha desaparecido.

—¿Y qué? —dijo Mimi—. La salud de los Knight es asunto suyo, y si su malcriada hija adolescente se quiere ir con el circo, no hay nada que podamos hacer.

—Es una química brillante, no una adolescente malcriada —dije—. De haber huido, habría dejado una nota para sus seres queridos.

—Puede ser —dijo Harvey.

—Puede ser —corroboré—. Y puede ser que la policía deba investigar la desaparición de la joven.

—¿Y cómo lo investigamos?

—Se les podría ocurrir la idea de ir a hacerle al Dr. Flammarion unas cuantas preguntas muy directas sobre la desaparición de Cleo Knight.

Mimi se levantó y quitó los pies de su marido de la mesa otra vez.

—Se me acaba de ocurrir una idea —dijo—. Vamos a hacerle al Dr. Flammarion unas preguntas sobre la desaparición de Cleo Knight.

—Unas cuantas preguntas muy directas —completó su marido.

—Por supuesto que las preguntas deben ser directas, Harvey. ¿Qué pensabas que quería decir, que iba a andarme por las ramas?

—¿Y yo qué sé lo que quieres decir? La mayor parte del tiempo no se te entiende.

—Bueno, a ti no se te entiende dos tercios del tiempo.

—No me creo que haya una manera de calcularlo.

—¿Les puedo acompañar, agentes? —pidió Moxie, cerrando de golpe la máquina de escribir.

—Categóricamente no —dijo Harvey Mitchum—. Mantente alejada del caso. Y eso va también por ti, Snicket. Te agradezco que nos hayas puesto sobre la pista de este asunto, pero en adelante la investigación se desarrollará de un modo serio y maduro. Stewart, voy a necesitar tu ruido de sirena.

—Por supuesto, papi querido —dijo Stew, y salimos todos de la comisaría. Mimi Mitchum cerró la puerta con llave y Stew aprovechó la oportunidad para extender la pierna con la esperanza de hacerme tropezar cuando bajábamos las escaleras. Moxie ya conocía el truco, y dio un golpe bajo y fuerte con su máquina de escribir contra la rodilla de Stew, que se puso a aullar. Ella se disculpó cariñosa. Todavía aullaba cuando los Mitchum se lo llevaron cruzando el césped.

—Buena artimaña, Moxie —dije—, la de la máquina de escribir.

—Y la tuya —dijo ella—, la del corte de pelo. ¿De verdad te vas a quedar al margen del caso?

—Por supuesto que no —dije—. Mi trabajo es encontrar a Cleo Knight.

—¿En qué trabajas, exactamente? —dijo ella—. ¿Y para quién? ¿De dónde vienes? ¿Hasta cuándo piensas quedarte? ¿Cuándo te irás? ¿Por qué has venido a investigar a este pueblo?

—Es una historia complicada —dije.

—Tengo tiempo y una máquina de escribir —dijo Moxie—. Cuéntamelo todo.

Aspiré una bocanada de aire fresco. Pensé en mi hermana, que probablemente estaba en un lugar muy profundo bajo tierra, lejos incluso de la más leve brisa.

—En un trabajo como este —dije—, la gente que lo sabe todo termina corriendo un grave peligro. No quiero llevarte a esa situación.

Moxie giró la cabeza para mirarme y su sombrero marrón se giró con ella.

—¿Entonces dónde vas a llevarme, Lemony Snicket? —preguntó.

—No demasiado lejos —dije, y me encaminé hacia el otro lado del edificio, en dirección a la puerta de la biblioteca.

CAPÍTULO 6

Una biblioteca suele parecerse al problema que intentas resolver con su ayuda. La biblioteca de Stain'd-by-the-Sea nunca me había parecido tan grande y confusa. Los libros y estanterías parecían estar en medio de una discusión en la que nadie iba ganando.

—Disculpe el desorden —era la voz profunda de Dashiell Qwerty, pero no lo veía por ninguna parte. Su escritorio estaba lleno de torres de libros, con unos cuantos de sus eternos enemigos (una frase que aquí significa «polillas») que aleteaban escapándose por los pelos de su pañuelo de cuadros—. Hemos tenido algunos problemillas, y la biblioteca está tomando medidas preventivas.

—¿Qué problemillas? —preguntó Moxie, abriendo ya la máquina de escribir—. ¿Qué medidas?

Qwerty desplazó unos libros hacia un lado para poder vernos. Él mismo se llamaba subbibliotecario, pero yo lo consideraba no solo un verdadero bibliotecario sino un buen verdadero bibliotecario. Llevaba su habitual chaqueta de piel decorada con piezas de metal y su pelo, como siempre, parecía asustado de la chaqueta.

—Han desaparecido unos cuantos libros —dijo—, y hemos recibido unas cuantas amenazas.

—¿Quién ha proferido las amenazas?

—Ojalá lo supiera —dijo—. En cualquier caso, estoy reorganizando las estanterías por completo, y dentro de unos días instalaremos un sistema de rociadores para no tener que preocuparnos de los incendios. Mientras tanto, si buscan un buen libro para leer, permítanme recomendarle uno que me gusta y que se llama *Desesperación*. Es sobre dos personas que no se parecen en absoluto pero, sin embargo, están concibiendo juntas un plan perverso.

—Suena interesante —dije—, pero mi socia y yo tenemos varios temas que investigar.

Qwerty me miró con una sonrisa familiar y me hizo un gesto con la mano y la manga de su chaqueta de cuero. Me gustaba el gesto. No era como los gestos dramáticos de Theodora, que parecían pensados para hacer que te volvieras a mirarla. Este gesto estaba pensado para hacerte mirar por toda la biblioteca, y me gustaba lo que siempre decía cuando terminaba de hacerlo:

—Están ustedes en su casa —dijo, y Moxie y yo compartimos una sonrisa, le dimos amablemente las gracias y nos dirigimos a los abarrotados pasillos.

—¿Entonces? —dijo ella cuando el bibliotecario ya no nos podía oír.

—Entones, aquí es donde yo investigo.

—Sí, pero ¿qué es lo que investigamos?

—El Dr. Flammarion obviamente planea algo —dije—, y necesitamos averiguar qué es.

—No vamos a encontrar un libro sobre el Dr. Flammarion —dijo Moxie.

—No —dije—, pero puede que haya uno sobre el coronel Colophon.

—¿Qué tiene que ver él con todo esto?

—Ojalá lo supiera —admití—. Era el socio empresarial de Ingrid Nummet Knight y el Dr. Flammarion trabaja en la clínica en la que vive el coronel. También quiero investigar un poco sobre química. El Dr. Flammarion trabaja con láudano, y Cleo Knight estaba trabajando con la tinta invisible. Quizá haya otra conexión por ese lado.

—Yo me encargaré del coronel Colophon, y tú de la química, ¿de acuerdo?

—Hecho.

—Y… Snicket.

—¿Sí, Moxie?

—¿De veras me consideras tu socia?

—Por supuesto.

Sonrió como sonríe uno cuando intenta dejar de sonreír.

—¿Entonces estamos resolviendo este caso juntos?

—Ya te he dicho antes que no te quiero poner en peligro —dije—. No sabemos qué fue lo que le pasó a Cleo Knight.

—Si es bastante seguro para ti, también lo es para mí —dijo Moxie con firmeza.

—Me han formado para este tipo de asuntos —dije—. Fue parte de mi educación.

—¿Forma parte Theodora de esa educación?

—Sí —dije—. Ella también es mi socia.

—¿La misma Theodora que te hizo robarme la Bombinating Beast? ¿La misma Theodora que piensa que en este caso no se ha cometido un delito? —la periodista dejó la máquina de escribir en uno de los escritorios de la biblioteca—. Puede que yo sea mejor socia que tu socia.

Moxie Mallahan me estaba recordando a mí mismo. Yo era conocido por discutir con mis profesores hasta que se aturullaban tanto que solo se les ocurría decirme una cosa. No era justa, la cosa que me decían, pero yo tenía casi trece años. Estaba acostumbrado a las cosas injustas.

—Pongámonos manos a la obra —le dije.

Moxie suspiró y se alejó de mí, hacia la sección de la biblioteca dedicada a Historia militar. Yo me dirigí a la de Ciencias, esperando que los libros que buscaba estuvieran en las estanterías y no en las pilas desordenadas que abarrotaban los pasillos. Para llegar a la sección de Ciencias, tenía que pasar por Ficción, donde había un hueco, del ancho de tres libros, vacío y obvio como cuando te falta un diente. Era culpa mía. En el pasado, había necesitado quitar tres libros de la biblioteca sin sacarlos propiamente, y ahora esos libros estaban en posesión de Hangfire. Eran buenos libros, y ahora nadie podía sacarlos. No te lamentes ahora por eso, Snicket. No puedes hacer nada.

La sección de Ciencias no guardaba ningún tipo de orden, de modo que los libros de química estaban apilados y amontonados junto con libros de botánica, y apoyados contra los de endocrinología. Suspiré, pero eso no mejoró nada. La sala estaba en silencio. Me arrodillé en el suelo y empecé a mirarlo todo. No había un libro que se llamase *Láudano* ni uno que se llamase *Tinta invisible*, ni otro que se llamase *El caso de la desaparición de Cleo Knight resuelto en un libro para que Lemony Snicket no tenga que hacerlo*. Sí que encontré un libro sobre química, pero no quería leerlo. Era grande como un pastel y se llamaba *Química*. No tenía índice, así que no había manera de mirar al final del libro para ver dónde estaban las secciones sobre el láudano. Tenías que toparte con ellas. Lo que yo quería era toparme con quien fuera que había tomado la decisión de no poner índice al final del libro *Química*. Lo cargué hasta una mesa y empecé a leerlo.

La química es una parte de la ciencia que trata de las sustancias elementales básicas de las que todos los cuerpos y materias están compuestos, y las leyes que regulan la combinación de estos elementos al formar compuestos, y los fenómenos que ocurren cuando dichos cuerpos se exponen a diferentes condiciones y entornos físicos. Cerré el libro. Había leído lo suficiente. Cleo Knight moriría en paz mientras dormía a los 102 años, rodeada de sus biznietos, antes de que este libro me ayudara con el caso.

Decidí permitirme un momento de melancolía. Eran las últimas horas de la tarde. Solo un momento, me dije. Solo un momento de melancolía. Pensé en mi hermana, en un túnel en el subsuelo de la ciudad. Allá abajo estaría a oscuras, aunque probablemente tendría una linterna o un farol. Tendría el ceño fruncido como suele pasar cuando está muy concentrada. Está midiendo sus pasos, para asegurarse de que saldrá directamente debajo del Museo de los Objetos. Luego pensé en mis padres. Pensé en su imagen a la sombra de un árbol alto, una tarde de hace mucho, mucho tiempo. Soplaba un viento fuerte, y se nos ocurrió la estupidez de ir de excursión. El viento arrancó una enorme rama del árbol, que empezó a caer rodando. Oímos cómo bajaba azotando las hojas durante un rato que pareció durar mucho. Mi madre pegó un brinco (un brinco grande, largo y sorprendente), paró la rama con sus brazos, y la mandó rodando al interior de la maleza. Recordé el sonido. Había llegado justo a tiempo.

—Cuidamos de los nuestros —dijo mi madre, mientras mi hermana y mi hermano, y yo, nos quedamos boquiabiertos mirando la rama que nos habría arruinado el día—. Los Snicket cuidamos de los nuestros.

Yo no estaba cuidando de los nuestros. Mi

hermana estaba sola, y yo estaba en una biblioteca dejándome llevar por la melancolía. «Dejarse llevar» se usa cuando haces algo que no es realmente necesario. Me puse en pie y busqué a Moxie.

—¿Qué significa «abstemio»? —me preguntó.

—Es una persona que no bebe alcohol —dije.

—El coronel Colophon es abstemio —dijo ella—, aunque me da que eso no nos va a ayudar más que otra cosa cualquiera. Luchó como un valiente en la guerra, pero me despisté un poco leyendo sobre esto. Yo creía que la guerra era un asunto simple, con un lado bueno y uno malo. Pero cuanto más leía menos claro lo tenía.

—Creo que eso es así en todas las guerras.

—Quizás. En cualquier caso, el pueblo de Stain'd-by-the-Sea le homenajeó con aquella estatua. Aquí los tenemos, el día que pusieron la primera piedra.

Le dio la vuelta al libro sobre la mesa, y miré

una gran fotografía donde se veía una multitud. El pie de foto me informaba de que políticos, artistas, científicos, magnates, naturalistas, veteranos y otros ciudadanos se reunían enfrente del ayuntamiento con motivo del primer día de trabajo en la estatua en honor del coronel Colophon. El sitio tenía mucho mejor aspecto en la fotografía que ahora. Las columnas estaban lisas y el césped estaba bien cuidado, y había un árbol alto y ancho que estaba a punto de ser cortado en el lugar en que erigirían la estatua. Deja de pensar en árboles, Snicket. Deja de pensar en tu familia. Había varios hombres y mujeres con uniformes de bombero, y había también una pequeña banda de metales de la Wade Academy, que fue en su momento una escuela de alto copete, pero ahora estaba vacía y abandonada a las afueras del pueblo, en la isla Offshore. Creí ver a los Mitchum entre la multitud, mucho más jóvenes, y estaba Prosper Lost, frotándose las manos. Había una joven que parecía ser Polly Partial hace algunos años, y un hombre que podía ser el Dr. Flammarion, sin barba y riéndose con un grupo de otros hombres y mujeres. Por supuesto, la mayoría de los de la foto eran para mí desconocidos. Algunos se veían felices, y otros no. No sabía por qué los estaba mirando.

—¿Hay algo sobre lo que pasó después? —pregunté—. ¿Algo sobre la explosión?

—No mucho —dijo Moxie—. Por lo que tengo entendido, el coronel Colophon pasa todo el tiempo en la clínica Colophon, enjaulado en su habitación especial del ático del hospital o paseando por el recinto. Mira, aquí hay una foto suya sentado al lado de la piscina de la clínica.

—Es verdad que parece una momia.

—Una momia subida a lomos de un monstruo. Echa un vistazo a ese banco.

Le eché un buen vistazo al banco donde estaba sentado el coronel. La Bombinating Beast, el legendario monstruo de Stain'd-by-the-Sea, me miraba desde la fotografía.

—Parece que el banco está hecho de la misma madera que la estatua que busca Hangfire —dijo Moxie.

—La misma madera, la misma bestia. Debe de haber una conexión.

—Si la hay, no la encuentro. O puede que haya algo, pero no lo he podido encontrar por culpa del caos de esta biblioteca.

—¿Crees que puede haber artículos antiguos sobre todo esto en la redacción del faro?

—Es posible —dijo Moxie—, pero *The Stain'd Lighthouse* está también hecho un caos. Faltan muchos números del diario. Mi madre se llevó algunos cuando se fue del pueblo, y me temo que no es la más adecuada para cuidar de las cosas.

—Debes de echarla de menos.

—Cada minuto, Snicket, de cada hora de cada día. ¿Y qué tal tú? ¿Qué has encontrado?

—La química es una parte de la ciencia que trata de las sustancias elementales básicas de las que todos los cuerpos y materias están compuestos, y las leyes…

Moxie levantó las manos para que callase.

—El aburrimiento no es como el caramelo de regaliz, Snicket —dijo—, no hace falta que lo compartas conmigo.

—Creo que le pediré ayuda al bibliotecario —dije—. Está ocupado, pero es bueno.

—Mecanografiaré unas cuantas notas más —dijo Moxie, y yo asentí y me dirigí al escritorio del bibliotecario. Al principio pensé que Dashiell Qwerty se había ido de la biblioteca, puesto que me pareció ver una sombra pasar por la puerta, pero luego lo vi cepillando el lomo de un libro muy aparente que hablaba sobre las ostras, con un cepillo suave y gordo y con una concentración extrema.

—Disculpe —dije—, pero no he encontrado lo que estoy buscando.

—Es una queja muy común.

—Necesito información sobre el láudano

u otros brebajes para dormir, o una historia de espionaje químico, y todo lo que haya sobre el coronel Colophon y la explosión que lo hirió y la clínica fundada en su honor.

—Te iría mejor si fueses menos específico —dijo Qwerty, espantando una polilla con la mano—. Con una biblioteca es más fácil esperar *serendipia* que buscar una respuesta precisa.

—¿*Serendipia*?

—La *serendipia* es un hallazgo fortuito —dijo Qwerty—. En una biblioteca, puede ser que encuentres algo que no sabías que buscabas. En cualquier caso, me temo que la mayoría de los libros que cubren los temas que has mencionado están fuera. Un socio los reservó hace algún tiempo y los acaba de recoger.

Parpadeé, y salí corriendo hacia la puerta. Ahora había una mujer que bajaba por las escaleras hacia el césped donde una vez hubo un árbol grande y ancho. Y donde antes había habido una estatua. Ahora estaban los restos de una estatua.

La mujer llevaba una bata blanca con aspecto de algo oficial y me ponía nervioso. No la reconocía. Llevaba un montón de libros debajo de un brazo y una bolsa de la compra en el otro. Podía ver la parte alta de la bolsa. Parecía que había comprado leche, una barra de pan y, quizás, una docena de limones. Y había una caja alta de algo que podría ser un desayuno, si te gustaban los doce granos integrales combinados en una estricta secuencia.

—¿Quién es? —le pregunté a Qwerty—. ¿Quién ha sacado esos libros?

—Un bibliotecario no revela ese tipo de información —respondió Qwerty—. Quién eres y lo que lees son cosas privadas en una biblioteca. El mundo…

—Se lo pido por favor, tengo que saber quién es —dije.

Qwerty me puso una mano en el hombro. Los colgajos de metal tintineaban en las mangas de su chaqueta.

—Y yo le digo —dijo con amabilidad— que no va a sacarme esta información.

Volví a mirar a la mujer que se alejaba, y luego a Qwerty, y luego por toda la biblioteca con sus dementes pilas de libros. Ahora había tres libros nuevos, apilados justo encima del escritorio. La mujer había devuelto tres libros a la biblioteca. Tres libros que rellenaban perfectamente el hueco que había en la sección de Ficción. Yo había sacado a hurtadillas esos tres libros de la biblioteca, y ahora habían vuelto. No sabía por qué me sorprendía. Por supuesto, Hangfire estaba implicado de algún modo.

Los tres libros eran del mismo autor, y yo los había recomendado todos. Hay uno sobre una chica que espía a sus vecinos y otro sobre notas siniestras que arruinan los veranos de la gente y uno sobre una familia que no cambia aunque los niños quieren que cambie. Habían estado en posesión de Hangfire, lo que significaba que la mujer que los había devuelto era una de sus cómplices. No podía averiguar nada sobre ella preguntando al bibliotecario, pero había otra forma. Eché un último vistazo por toda la biblioteca y salí corriendo tras ella.

CAPÍTULO 7

La mujer que caminaba por las calles de Stain'd-by-the-Sea, con una bolsa de la compra y una pila de libros, llevaba el pelo enroscado hacia arriba por la cabeza, como una cobra en su cesta. Se notaba que le dolían los pies. Se notaba que cuando se enfadaba sabía exactamente qué decir para hacerte sufrir. Pasó por los grandes almacenes Diceys, con sus maniquíes tristes y silenciosos en el escaparate. Pasó por Ink Inc., con su puertecita cerrada. Seguí tras ella, pero no miró hacia atrás ni una sola vez. El truco para seguir a alguien sin que te descubran es seguir a alguien que no piense que lo están siguiendo. Así fue como aprendí a seguir a las personas, y en el curso de un año escolar completo aprendí secretos fascinantes sobre perfectos desconocidos a quienes seguí durante horas y horas. Me hizo preguntarme quién conocía mis secretos, los días en que yo pensaba que caminaba sin que nadie me siguiera.

Volvió la esquina y esperé un poco antes de continuar siguiéndola en otra manzana tranquila. No había ni siquiera un establecimiento, un Hungry's ni un The Lost Arms ni un Café Black Cat. En algún tiempo pasado debió de ser una manzana bonita, pensé. Habría tiendas en lugar de escaparates rotos y puertas con cadenas, y encima de las tiendas habría filas de apartamentos que estarían ocupados. Cada apartamento tenía ventanas y balcones altos que estaban rotos y desiertos. Era fácil imaginar el aspecto que tendrían en un día caluroso con las ventanas de par en par y la gente en los balcones tomando traguitos de bebidas frías y mirando un desfile que quizás pasaba por allí, por ejemplo, un desfile por un héroe militar. Pensé en el coronel Colophon y en la estatua de delante de la biblioteca. Era como una melodía que no pudiese dejar de canturrear, pero cuyo nombre no me venía a la cabeza. De algún modo, encajaba. Debí haber mirado mejor la fotografía que me enseñó Moxie. Moxie se irritará como cuando te cortas con un papel, pensé, cuando se dé cuenta de que me he ido de la biblioteca sin ella. Para, Snicket. Céntrate en la mujer que tienes delante, que mira con ceño fruncido en cada una de las entradas. Sus zapatos dan la impresión de haberse metido en algo húmedo y sucio. Las entradas de los edificios están todas bloqueadas con tablas. No va a encontrar nada aquí.

Dio la vuelta a otra esquina. Tuve que esperar. La calle estaba muy silenciosa, pero, cuando me asomé por la esquina, el silencio era aún mayor.

La mujer ya no estaba.

Tuve que calmarme. Si alguien desaparece al doblar una esquina, significa que ha entrado en uno de los edificios o que un pájaro gigante se lo ha llevado. El cielo estaba desierto, así que empecé a mirar en las entradas de los edificios. Había un restaurante abandonado, con mesas redondas demasiado pequeñas para comer con comodidad. Me asomé por la grieta de una ventana y leí unas palabras en una pizarra: «*les gommes*», que significaría quién sabe qué en francés, pero la puerta estaba cerrada con clavos, igual que un ataúd. No pasaría mucho tiempo antes de que todas las puertas del pueblo estuviesen selladas de esa forma, cuando los Knight abandonasen su negocio de tinta y se marchasen a la ciudad.

Al otro lado de la calle había otro negocio cerrado. El letrero decía «UARI», y eso no tenía pinta de francés. Las ventanas estaban tapadas con tela negra, como si alguien hubiese corrido unas cortinas. La puerta estaba cerrada, pero había algo que aleteaba por debajo, remetido en el hueco donde la puerta intentaba alcanzar el suelo. Era blanco, un solo pedazo de papel. Fui hasta allí y tiré de una esquina. Salió de debajo de la puerta.

«Desaparecida», decía. Era uno de los pósteres de Cleo Knight. Estaba enganchado en la puerta, y eso significaba que esa puerta se había abierto recientemente. Quizás hacía solo un momento.

Dejé caer el cartel y voló, el viento se lo llevó calle abajo a toda prisa. Me recordó una lección que había aprendido en mis estudios: primero haz lo que te da miedo, y ya te asustarás después.

Empujé la puerta y crujió ligeramente. Tendría que abrirla muy despacio. Un crujidito por aquí y otro por allí. Probablemente nadie lo oiría. Porque probablemente no habría nadie cerca de la puerta. Estaría muy, muy lejos de la puerta, quien quiera que fuese. Y se alegraría de verme si yo entrase de repente. Entonces ¿por qué esperas ahí afuera?, me pregunté. Ya te asustarás después.

Empujé hasta abrir la puerta, tan lentamente como se hace una división larga. La puerta crujió, pero yo era el único que lo oía. El piso estaba húmedo y sucio, pero no había nadie. Yo estaba dentro de la tienda, o lo que había sido una tienda. No me había equivocado. «UARI» no era francés. Era parte de la palabra «ACUARIO». En otros tiempos la gente de Stain'd-by-the-Sea venía aquí a comprar peces y peceras y todo tipo de artículos para cuidar de ellos. Quizás algunos de los peces provenían de las orillas del pueblo, cuando aún había mar en lugar del paisaje anárquico del Clusterous Forest. Pero ahora no había peces. Quedaban unos cuantos tanques resquebrajados y sucios en las estanterías, pero la mayoría se los habían llevado. Había pilas olvidadas de recipientes de comida y pequeños castillos de plástico que a la gente le gusta pensar que les gustan a los peces. El único signo de vida era una pecera solitaria colocada en un mostrador polvoriento, al lado de una caja registradora polvorienta y una taza de café vacía. En su interior había un puñado de lo que parecían diminutos renacuajos negros que nadaban en un agua turbia. Había un trozo de algo de un color verde pálido, de lo que comían, y un trozo grande de madera que se levantaba en pendiente, como si estuviera allí para que treparan los renacuajos. Me quedé mirando a los renacuajos pero no mostraban interés alguno.

Había un rastro de pisadas por todo el piso enfangado que luego atravesaba una puerta abierta al fondo que llevaba a una escalera oscura. Pero yo ya sabía dónde había ido la mujer. Oía sus pasos arriba. Pensé un momento y agarré la taza antes de subir en silencio por las escaleras. Los renacuajos no miraban lo que yo hacía. Tenían otras ideas.

La escalera se acababa en la puerta de un apartamento, como yo había imaginado, y

luego se curvaba subiendo hasta otro apartamento. No había felpudo de bienvenida, pero
tampoco me habría sentido bienvenido si lo
hubiese habido. Levanté la taza hasta la puerta,
con el lado abierto cerca de la madera, y luego
puse la oreja al otro lado. Un vaso vacío funciona
mejor, o un estetoscopio, si tienes uno a mano,
pero nadie tiene un estetoscopio a mano.

—Compré todos los limones del supermercado —decía la mujer, y oí el ruido que hizo al
dejar la bolsa, un sonido fuerte sobre otro más
leve.

—Gracias —dijo otra voz. Era la voz de una
chica—. Puedes poner los limones en la nevera,
junto con la leche. Los cortaré después.

—No lo harás —dijo la mujer, y oí rodar los
limones en una mesa.

—Bueno, al menos déjeme ayudarla —dijo la
chica—. Está usted trabajando mucho, enfermera Dander.

—Y tú no trabajas nada —dijo la enfermera

Dander, con voz agria. Oí el sonido agudo de metal contra metal, y luego una secuencia de ruidos en un estricto orden: *¡Chop, crac! ¡Chop, crac! ¡Chop, crac!*—. Pensé que necesitaría todo tipo de instrumentos científicos —dijo. *¡Chop, crac! ¡Chop, crac!*—. Pero lo único que ha preparado es un puñado de cuencos y vasos de la cocina. Parece cocina en lugar de química.

—La cocina es bastante parecida a la química —dijo la chica. La voz tenía algo que no cuadraba. No podía decir el qué. Tenía un timbre alto, excepto en algunas palabras en las que de repente se volvía bastante bajo. Algunas de las palabras salían casi demasiado claras, y otras eran como si estuviera mordisqueando una canica.

—Eso espero —dijo la enfermera. *¡Chop, crac! ¡Chop, crac! ¡Chop, crac!*—. ¡Él esperará resultados, y rápido!

—¿Ha estado aquí?

—Eso no te concierne. *¡Chop, crac! ¡Chop, crac! ¡Chop, crac!*

—Creo que ha venido.

—Él va donde le da la gana, cuando le da la gana. *¡Chop, crac!¡Chop, crac!* Y la próxima vez que venga, esperará que tengas lo que le prometiste.

—¿Y cuándo será eso? —preguntó la chica.

—Ya te he dicho que no te concierne.

¡Chop, crac! ¡Chop, crac! ¡Chop, crac!

—Ahí están todos. Los puedes exprimir tú misma.

—Maneja usted bien el cuchillo.

—Recuérdalo si se te ocurre escapar.

—No escaparé —prometió la chica.

—Más te vale —dijo la enfermera Dander—. Ahora tienes todo lo que necesitas. A trabajar.

—¿No podemos hablar un minuto?

—Acabamos de hablar un minuto.

—Pero me gusta tener compañía.

—No somos amigas. Trabajas para nosotros. Te he traído todo lo que has pedido. Dijiste limones. Muchos limones, dijiste. Determinados libros, dijiste.

—Bien, espero que funcione —dijo la chica, vacilante—, pero podría no funcionar. Esta temporada el zumo de limón tiene considerablemente menos cantidad de…

La voz se fue apagando y pude oír las uñas de la enfermera Dander repiqueteando con impaciencia encima de algo. El sonido más suave, entonces me di cuenta, era música.

—¿Menos cantidad de qué?

—Menos cantidad de un componente químico importante.

—¿Qué componente?

«Bicabacabuca», pensé.

—Uno que es crucial para el trabajo que estoy haciendo —dijo la voz, incluso con mayores altibajos en el timbre.

Los pasos de la mujer se movían despacio, muy despacio, por la habitación.

—Estás aquí jugándote tu honor, Cleo Knight. Procura no enfadarnos. No somos una sociedad que tolere la traición. Te hemos dado todo lo que has pedido. Ahora te toca a ti también cumplir tu promesa.

—¿Podría al menos pasarle un mensaje a Hangfire?

Por segunda vez hubo un silencio absoluto, y yo temblaba contra la taza. Luego, la mujer habló en voz muy baja.

—Te dije que no mencionaras su nombre jamás —dijo, y se oyó de nuevo el sonido de metal contra metal. No podría decir si la mujer estaba guardando el cuchillo o apuntaba con él a la chica—. No me provoques.

Los pasos se acercaron hacia mí. No había dónde ir ni tiempo para irse, así que hice lo único que se me ocurrió, o sea nada.

La puerta se abrió y me empujó hacia la pared. Olía mal. Mi mano agarró el asa de la taza. Cuando la puerta volviera a cerrarse me descubrirían, pero la puerta no se volvió a cerrar. «Provocar» significa «irritar tanto a alguien que puede que no se dé cuenta de lo que pasa a su alrededor». La enfermera Dander subió las escaleras con energía, sin percatarse de mi presencia. No la pude ver muy bien. No vi si llevaba el cuchillo. Mis ojos estaban cerrados. Es inútil cerrar los ojos cuando te escondes, pero aun así todos lo hacemos. Me recordé a mí mismo que tenía que respirar y yo mismo me di las gracias, cuando la puerta se cerró. La chica la cerró con llave. Estaba solo. No puedes estar seguro, me dije. No puedes saber lo que esperas saber.

Llamé a la puerta.

—¿Sí? —La voz de la chica se olvidó por un momento de cómo debía sonar, pero luego recordó aquel sonido extraño—. ¿Quién es?

—Una entrega —dije, con una voz falsa también— para la señorita Cleo Knight.

—Aquí no hay nadie que se llame así —respondió la voz.

—Entonces debería intentarlo arriba —dije.

—¡No! —yo oía las manos de la chica manipulando la cerradura, para asegurarse de que no pudiese entrar—. ¡No hay nadie en este edificio que se llame Cleo Knight!

—Lo siento —dije—, debo de haber leído mal la etiqueta. Es otro nombre.

Dije el primer nombre que me vino a la cabeza.

—Tampoco hay nadie con ese nombre.

—Ya me parecía a mí que no. Es el nombre de una autora sueca.

Oí cómo las manos manipulaban la cerradura otra vez, pero esta vez más despacio.

—Escribió un libro sobre una chica de nombre largo y trenzas largas que vive aventuras con sus amigos. Es más interesante vivir aventuras con otras personas, ¿no crees?

La voz no dijo nada.

—Quiero decir que es mejor no estar solo si estás en circunstancias peligrosas.

La voz tampoco vio motivo para romper el silencio.

—También hay otros libros sobre ella. Hay

uno donde se va a los Mares del Sur. ¿No te parece divertido?

—Vete de aquí —dijo la voz, muy bajito.

—No eres muy buena a la hora de disfrazar tu voz.

—Ni tú tampoco.

—Esto es una necedad —dije—. Abre la puerta.

«Necedad» es una palabra que suena como si no debieras usarla, así que, cuando la dices, la gente por lo general suspira de sorpresa. Es una manera deliciosa de llamar a algo «no muy inteligente», que es lo que significa. No hubo suspiro de sorpresa al otro lado de la puerta, pero se oyó un «clic» de la cerradura, la puerta se abrió y yo pasé.

Era un apartamento destartalado. Había una lámpara de pie torcida y una larga mesa de madera que alguien había golpeado de mala manera. Ahora estaba cubierta de cuencos y vasos, con una pila de libros en un extremo y una gran cantidad de limones, todos cortados por la mitad. Había un gran montón de papeles en una silla desvencijada, y un sofá repleto de almohadas con relleno irregular y mantas feas, para que alguien durmiera o intentase dormir. La única cosa atractiva de la habitación era una pequeña caja con una manivela al lado y una especie de embudo arriba, del cual salía música. Y había una chica delante de mí. Sus ojos verdes eran los mismos, pero su pelo no era negro, ya no. Ahora era rubio, tan rubio que parecía blanco. Tenía aún los dedos finos, con uñas largas y negras como antes, y sobre los ojos tenía unas extrañas cejas curvadas como signos de interrogación. Aún usaba la misma sonrisa. Era una sonrisa que me gustaba. Era una sonrisa que podía querer decir cualquier cosa.

Ahora puedes estar seguro, me dije. Ahora la has encontrado y puedes decir su nombre.

—Ellington Feint.

CAPÍTULO 8

—Lemony Snicket —me contestó inmediatamente. Nos quedamos de pie mirándonos. No hacía mucho tiempo que conocía a Ellington Feint, y no se podía decir que fuéramos amigos. Ambos nos encontramos en Stain'd-by-the-Sea por quehaceres misteriosos. Ambos habíamos robado la misma estatua, y ambos buscábamos al mismo criminal, y ahora el caso de Cleo Knight nos había juntado de nuevo. Pero ni la Bombinating Beast, modelada a partir del monstruo legendario de Stain'd-by-the-Sea, ni Hangfire, que tenía al padre de Ellington prisionero, ni siquiera la desaparición de una química brillante nos hacían amigos. Éramos más bien como piezas de un rompecabezas, cada uno de nosotros formábamos parte de la misma gran escena. Hay gente así donde quiera que vayas. Son todos parte del mismo misterio que tú, pero no es fácil decir de qué manera sois complementarios. El mundo es un rompecabezas, y no lo podemos construir solos.

—¿Qué estás haciendo aquí, Srta. Feint?

—Podría hacerte la misma pregunta, Sr. Snicket.

—Estoy buscando a Cleo Knight —dije.

Ellington se movió entonces, y cerró la puerta con rapidez.

—Por lo que respecta a la gente de este lugar —dijo en un susurro—, yo soy Cleo Knight.

Me senté a la mesa en la que estaba todo el material de cocina y los limones cortados por la mitad. Me faltaba parte de la historia.

—Impresionante estratagema —dije—. ¿Cómo lo has hecho?

Ellington fue hacia el sofá y se agachó para sacar una maleta. Era la que traía consigo de Killdeer Fields, el pueblo cercano donde había crecido. Estaba llena de todo tipo de ropa, todo lo que necesitaba para el largo camino que implicaba encontrar a su padre. Levantó un abrigo nuevo con rayas blancas y negras y un gorro de color frambuesa.

—Recuerdo el gorro —dije—. Lo vi cuando vivías en Handkerchief Heights. ¿De dónde has sacado el abrigo?

—Me lo compró Cleo Knight —dijo— en los grandes almacenes Diceys.

—Es un regalo muy generoso. Debéis de ser muy buenas amigas.

—Yo no diría que somos amigas —dijo Ellington—. Solo hace unas semanas que la conozco, en el Café Black Cat. Intentaba conseguir que la máquina le hiciera un té que la ayudara a pensar. La convencí para que probara con el café, y empezamos a hablar. Me dijo que sus padres abandonaban el negocio de la tinta y se mudaban a la ciudad, pero ella había estado trabajando en un importante experimento que podría salvar el pueblo.

—La tinta invisible —dije.

Ellington sonrió.

—Debí suponer que lo sabrías. Cleo Knight es verdaderamente una química excelente. Normalmente, la tinta invisible es una tontería que se hace con zumo de limón, pero ella está perfeccionando una nueva fórmula, con un ingrediente secreto que ha descubierto. Habrá tinta invisible en todas partes en cuanto la fórmula esté acabada. La gente volverá a trabajar. Stain'd-by-the-Sea volverá a ser próspero. Los pulpos no volverán a estar en peligro. Incluso podrían volver a poner el mar donde estaba; y todo por la fórmula de Cleo Knight. ¿Te lo puedes imaginar? Una tinta invisible que de verdad funcione.

—Hay ciertas personas que conozco que estarían muy interesadas —dije.

—¿S. Theodora Markson, tu jefa, por ejemplo?

—Muchas personas estarían interesadas en una tinta invisible que funcionase.

—Y por eso precisamente estaba preocupada Cleo Knight. No quería que su fórmula cayera en manos equivocadas.

—Tenía motivos para preocuparse —dije, pensando en el Dr. Flammarion.

—Y tenía motivos para desaparecer. Sabía que el peligro estaba cerca. Sus padres la habían apoyado mucho en sus experimentos, pero luego de repente empezaron a actuar de forma muy extraña e insistían en irse del pueblo. Era una situación desesperada, Snicket. El destino de todo el pueblo estaba en manos de Cleo Knight. Por eso hicimos un trato.

—Tú le diste un gorro —dije— y ella te compró un abrigo.

—Ella encontró incluso el producto químico perfecto para que mi pelo fuese rubio.

—Para que así hubiese dos Cleos Knight.

—La verdadera Cleo Knight encontró un lugar seguro para esconderse, dejó una nota para sus padres, y se marchó en su coche de lujo con su equipo especial. Y lo que yo tengo que hacer es aparecer de vez en cuando por el pueblo vestida como ella, hablando de irme con el circo, para que si alguien intenta buscarla siga una pista equivocada.

—¿Y después?

Ellington sonrió, pero no me miraba.

—Y después nada —dijo—. Eso es todo. Cleo Knight está en un lugar seguro, trabajando con sus experimentos, y yo estoy confundiendo a sus enemigos hasta que termine.

—Eso no es todo —dije—, ni pensarlo. En primer lugar, su familia no encontró una nota, y Cleo Knight y su Dilemma nunca llegaron a un lugar seguro. Alguien cambió el plan, Srta. Feint.

Alguien destruyó la nota y puso a los Sres. Knight en un estado de delirio pausado, gracias a unas inyecciones periódicas de láudano. Y alguien le pinchó un neumático al Dilemma con una aguja hipodérmica y luego se ofreció para llevar a Cleo Knight. Alguien en quien ella confiaba; el boticario particular de la familia, el Dr. Flammarion.

—No lo conozco.

—Quizás no, Srta. Feint. Pero la señora del apartamento que está encima de este, la mujer que cuida de ti, es la enfermera del Dr. Flammarion.

Ellington dirigió la mirada hacia la lámpara parpadeante del apartamento, como si esperase que la mujer cayese del cielo.

—¿Cómo lo has sabido?

—La seguí desde la biblioteca —dije—. Devolvió unos libros que yo no había visto desde hacía tiempo, libros que estaban en poder de Hangfire. Ese criminal lo controla todo, Ellington. ¿Te acuerdas de cuando obligó a Sally Murphy a fingir que era la Sra. Murphy Sallis?

Ahora Hangfire tiene al Dr. Flammarion haciendo su trabajo sucio. Tiene a la enfermera Dander ayudándole. Y también te tiene a ti, Srta. Feint. ¡Tú estás ayudando a Hangfire con esta traición y ni siquiera lo sabes!

Ahora sus ojos parecían más verdes, o quizás el verde era solo más vehemente que cualquier verde que hubiera visto antes. Me señaló con un dedo furioso, con las uñas negras como las noches en la suite Far East cuando era muy, pero que muy tarde y aún no me había podido dormir.

—Por supuesto que lo sé, Sr. Snicket. Cuando estaba en el desván del Café Black Cat encontré un paquete. Iba dirigido a mi padre, a la atención de una organización de la que nunca había oído hablar.

Se metió la mano en un bolsillo y sacó una etiqueta muy arrugada, que extendió sobre la mesa. Los dos la miramos con el ceño fruncido.

ARMSTRONG FEINT A/A DE LA SOCIEDAD INHUMANA

No había más datos en la dirección. Habían llegado unos cuantos paquetes la última vez que estuve en el desván. No pensé en ellos como pistas.

—¿Qué es la Sociedad Inhumana? —dije.

Las cejas de Ellington formaron su mejor curva.

—¿No lo sabes? —dijo—. Creía que eras uno de sus socios, Sr. Snicket.

—No —dije con cuidado—. Mi organización es diferente.

Ninguno de los dos dijo nada durante un momento, aunque nuestros secretos discutían en el aire que flotaba sobre nuestras cabezas.

—Me quedé en aquel desván dos días —dijo ella al fin—. Solo salía de mi escondite para comer pan y beber café.

—¿Dónde te escondías? —pregunté.

—Hay un armario —explicó— que es más grande de lo que parece.

—Te busqué una y otra vez.

157

—Lo sé, Sr. Snicket —dijo—. Siempre pensaba que ibas a recoger el paquete.

—¿Crees que sé dónde está tu padre?

Ellington no sonrió, pero daba la impresión de que había pensado en sonreír.

—No somos exactamente amigos, Sr. Snicket —dijo—. Solo te caíste a un árbol una noche y, desde entonces, he tenido la sensación de que formamos parte del mismo misterio.

No me hacía gracia pensar en mi ridícula caída en el árbol.

—Te prometí que te ayudaría a encontrarlo —le recordé—. Si supiera dónde está, te lo diría.

Asintió levemente.

—En cualquier caso, no fuiste tú quien recogió el paquete. Fue la enfermera Dander. La he seguido hasta aquí, pero tenía miedo de ir más allá. El acuario abandonado tenía un aspecto tan sobrecogedor, que no sabía qué encontraría en su interior. Pero cuando conocí a Cleo Knight y tramamos nuestro plan, supe que era mi oportunidad. En lugar de ir apareciendo por todo el pueblo, me presenté solo en Partial Foods. Después, tomé un taxi hasta aquí y llamé a la puerta. La enfermera Dander respondió y yo me presenté como Cleo Knight. Le prometí la fórmula de una tinta invisible que funcionase verdaderamente a cambio de un encuentro con Hangfire. Es un buen plan, Sr. Snicket.

—Seguro —dije—, más o menos como hacer malabares con dinamita, o darle una patada a un oso polar.

—No digas necedades.

—La necedad es intentar engañar a un criminal con algo tan simple.

—Es la única manera —dijo Ellington—. Me tomé todas las molestias para conseguir la Bombinating Beast, pero, cuando le mandé un mensaje que le decía que la tenía, no respondió. Necesito rescatar a mi padre, Sr. Snicket. Hacer la voluntad de Hangfire es la única forma.

No mencioné que el que se había tomado las

molestias de conseguir la estatua fui yo. No le pregunté cómo le mandó un mensaje a Hangfire. Cuando me siento y pienso en este incidente de mi vida, que empieza con la llamada de mi hermana y acaba en el sótano de la clínica Colophon, la lista de cosas en las que me equivoqué se extiende ante mí y no veo dónde acaba.

—Tú no puedes hacer tinta invisible, ¿verdad?

—Por supuesto que no —dijo Ellington, indicando con un gesto desvalido todo lo que había en la mesa—. Ni siquiera sé cuál es el ingrediente secreto. Cuando está la enfermera Dander, yo pululo por aquí fingiendo ser científica. Y cuando ella sale, busco a mi padre por el edificio.

—¿Qué has encontrado?

—Nada. El apartamento de la enfermera Dander es normal, los otros están vacíos. Es un misterio que haya muebles en este. No he visto a Hangfire, pero creo que ha estado aquí.

—¿Cómo lo ibas a saber? No lo has visto nunca.

—Es una corazonada que tengo —dijo, mirando por toda la desvencijada habitación.

—No es la única que va a tener una corazonada, Srta. Feint. Alguien más tendrá la corazonada de que les estás tomando el pelo.

—Pero todo el mundo cree que soy Cleo Knight, la brillante científica. Todos confían en ella.

—Pero la verdadera Cleo Knight está en las garras de Hangfire —dije—. Se lo dirá al Dr. Flammarion y el Dr. Flammarion se lo dirá a su enfermera. Y esta enfermera maneja bien los cuchillos.

Ahora Ellington me miraba a mí. Sus ojos se abrieron aún más bajo las cejas, y sus dedos se curvaron como garras sobre la mesa. Ambos miramos de nuevo a la lámpara del techo, por si oíamos algo en el apartamento de la enfermera Dander. Pero lo único que oíamos era el disco que Ellington había puesto. No era una melodía que yo reconociera. Se oía una trompeta y un trombón, con un piano y algo de batería de acompañamiento. Sonaba libre. Todo el mundo se divertía, donde fuera que la música se estuviera tocando.

—¿Qué hago ahora? —susurró.

—Ahora no tengas miedo —dije—. Eres una maravilla de chica, Srta. Feint. Sigues a la gente por la calle y te disfrazas de una brillante química. Echas abajo las puertas de los criminales y los engañas. Si estuvieras en ese libro sueco, diría que eres un lince y les das mil vueltas a tus enemigos.

—En realidad los linces me dan miedo. Mi padre y yo vimos uno un día que íbamos de excursión, y aún tengo pesadillas.

—Yo también cuento historias —dije— cuando estoy nervioso. Tenemos que salir de aquí, Srta. Feint. Déjalo todo, especialmente los libros de química de la biblioteca. Son aburridísimos.

—¿Cómo voy a largarme? —dijo Ellington—. La enfermera Dander me oirá.

—Puede que te oiga —dije—, pero no puede saber que eres tú.

—Ha visto toda mi ropa —dijo Ellington—. Registró mi maleta cuando llegué.

Me quité el abrigo.

—A mí no me ha registrado —dije—. Toma.

—El sol se está poniendo —dijo—, hará frío afuera, Sr. Snicket.

—Pues tiritaré —dije—. Ya he tiritado otras veces.

Ella miró hacia la mesa y dibujó el nombre de su padre con una uña negra.

—Y yo —dijo, y se puso mi abrigo. Revolvió en la maleta en busca de unas horquillas y en un momento se recogió todo el pelo en lo alto de la cabeza. Sentí que verla hacer eso pertenecía a un momento de su intimidad. Nunca había visto a mi madre ni a mi hermana cuando hacían lo que fuera que se hiciesen en el pelo. Era un secreto.

—¿Qué, Sr. Snicket? ¿Parezco un chico?

—No. Quizás desde lejos.

—¿Cómo quieres que funcione?

—Es fácil —dije—. Aprendí a hacerlo.

—En tu organización.

—Sí —dije.

Ellington recorrió con la mirada toda la habitación.

—No me gusta dejar todas estas cosas aquí.

—¿A qué cosas te refieres?

—Mi gramola. Mis papeles. Y…

La música seguía sonando.

—No te preocupes, Srta. Feint —dije, cuando acabó la pausa—. Te lo llevaré. No pueden vernos salir juntos, y no deberías tenerlos contigo por si te pillan. Pero los sacaré de aquí y luego me reuniré contigo.

—¿Dónde?

—Ya sabes dónde. La esquina de Caravan con Parfait.

—¿Lo prometes?

—Lo prometo. Pero mejor que me muestres dónde está.

Me gustó que Ellington ni siquiera fingiera no saber a qué me refería. Se dirigió a la nevera y la abrió. La nevera era de aquellas que tienen unos cajones para conservar mejor las verduras. Abrió uno y lo que contenía no estaba muy bien conservado. Parecía lechuga, o algo que había sido lechuga en tiempos más felices. Ahora era una cosa babosa y húmeda que te quitaba las ganas de tocarla, y supongo que esa era la idea. Ellington apartó la lechuga podrida y extrajo una cosa grande y negra. Se parecía a un caballo de mar, con pequeños agujeros por ojos y una horrible sonrisa hueca. No sabía lo que era antes, y no sabía lo que era entonces. La estatua me miraba como si no fuera a decírmelo, tampoco. La sostuve en mis manos y le di la vuelta un momento para tocar el trozo de papel arrugado que había pegado sobre una pequeña hendidura. Quédate un ratito conmigo, pensé. Siéntate conmigo, bestia terrible. Cuéntame todos tus secretos. Pero no había tiempo en aquel momento. Cogí la manta más pequeña del sofá, azul claro con un estúpido fleco en el borde, y envolví la bestia para que nadie viese lo que llevaba.

—Cuídala muy bien —dijo.

—¿Qué es, exactamente? —le pregunté.

Se encogió de hombros casi imperceptiblemente.

—Es mi única esperanza —dijo, y la acompañé a la puerta. Yo la miré y quise decirle que cuidase de algo también. Pero no estaba muy seguro de lo que era, así que abrí la puerta sin hacer ruido y luego llamé muy fuerte.

—Un paquete —dije, en mi voz de mensajero—. Un paquete para la Srta. Cleo Knight.

Ellington lo captó en seguida.

—Señor —dijo con voz severa—, ya le dicho que no hay nadie aquí con ese nombre, ni con ningún otro tampoco.

—Perdone el error —dije—. Hasta luego.

—Hasta luego —respondió, y tras dedicarme una última mirada salió corriendo escaleras abajo, justo cuando oí desde arriba el ruido de otra puerta que se abría.

—¿Srta. Knight? —llamó la enfermera Dander—. ¿Quién era? ¿Alguien que preguntaba por usted?

Yo no respondí, claro. No sabía imitar voces. No era Hangfire. Pero tampoco quería que la enfermera Dander pensara que no había nadie en el apartamento. Fui rápidamente al tocadiscos y subí el volumen. Los músicos parecían aún más felices. Ellington tenía razón. Era una lástima dejar algo así.

—¿Srta. Knight? —volvió a llamar la enfermera.

Miré rápidamente a mi alrededor. El baño, pensé. Incluso los apartamentos más destartalados tienen baño. Entré por la única puerta que vi y me encontré dentro de un baño pequeñísimo, que parecía aún más pequeño porque en él había un lavabo tan grande que incluso tenía espacio para acoger una pecera sobre uno de sus bordes.

La pecera solo contenía un pequeño renacuajo negro, como el que había visto en el acuario, con otro trozo de comida y otro trozo de madera por si le entraban ganas de trepar. El grifo goteaba, pero no iba a arreglarlo. Descorrí la cortina de la ducha y vi una ventana pequeña, abierta solo un poco. El aire silbaba por la abertura y me hizo recordar algo. No era lo suficientemente grande para poder escapar por allí.

—¡Srta. Knight, respóndame!

Dejé la estatua, aún envuelta en una manta, sobre las baldosas sucias del suelo. Una distracción, pensé. Un fuerte ruido. Por la ventana. El tiempo suficiente para que escape Ellington y para que tú también puedas salir. Sí, debo encontrar un peso o algún objeto pesado. Algo de la cocina. Pero la enfermera Dander ya estaba bajando por las escaleras y luego la oí entrar en el apartamento. Tenía una respiración ligeramente sibilante, que antes no había notado. Ahora lo podía oír porque la tenía muy cerca.

—¿Srta. Knight? —dijo la enfermera Dander otra vez, a modo de advertencia, y luego oí aquel ruido agudo de nuevo, de metal contra metal. Manejar bien el cuchillo no quiere decir nada, me dije. Es solo una expresión. Piensa en otra expresión. «La madre del cordero», esa es más divertida. Pero ¿por qué tendría que ser algo especial la madre del cordero, y no la madre de otra cosa? Ya te asustarás después.

En el lavabo había suficiente agua. Me incliné sobre la pecera. Noté un olor dulce, el olor de algo que no me gustaba. Olvídalo, Snicket. No les ves la gracia a los melones chinos. Metí la mano y apresé rápidamente el renacuajo. Lo saque de allí y lo solté en el lavabo, pero el dedo me dolió cuando lo hice, un dolor punzante y feroz, como si me hubiera pinchado con un trozo de vidrio. Pero aún no la has roto, Snicket.

—¿Dónde estás, Knight?

Me miré el dedo. Estaba sangrando, solo un poquito. ¡Eh! ¡Me había mordido! Me quedé mirando el renacuajo. ¿Estaba intentando salvarte y tú vas y me muerdes, desagradecido? Me ignoró. Estaba ocupado nadando en círculos en su nuevo entorno. Cogí la pecera y me metí en la bañera. Ahora la voz estaba en la puerta.

—¿Knight?

Lancé la pecera por la ventana y durante un segundo no oí nada. Luego escuché un terrible estruendo de vidrio roto. Sonó muy fuerte. Me hizo sonreír. Todo el vecindario lo oiría, pero a mí solo me importaba una persona. Funcionó. Oí que la enfermera Dander pegaba un grito y salía del apartamento escaleras abajo para ver si todo aquel alboroto lo formaba la chica que estaba buscando. Recogí la estatua y me aseguré de que estaba bien envuelta en la manta, y luego corrí escaleras abajo. Pasé por el acuario abandonado con el dedo mordido metido en la boca.

—No me gusta vuestro primo —les susurré a todos los renacuajos del mostrador. En la lengua silenciosa de los renacuajos, ellos me contestaron que a quién le importa. El suelo estaba aún sucio y la puerta abierta de par en par, así que no había que preocuparse por el ruido. Salí a la calle y vi la silueta sospechosa de la enfermera Dander de pie junto al café, mirando a uno y otro lado.

Ellington tenía toda la razón. Hacía frío cuando se ponía el sol. Deseé que la manta me envolviera a mí en lugar de a la Bombinating Beast. La tenía en mis manos y podría haber ido a cualquier parte. Podría haber vuelto al The Lost Arms para examinarla con mi mentora. Podría haber contactado con los agentes Mitchum para ver si habían resuelto el caso. Podría haber regresado a la biblioteca a buscar a Moxie o a Hungry's para ver a Jake Hix, o haber caminado sin rumbo hasta encontrar a Pela y a Cañas y que me llevaran en el taxi por todo el pueblo en busca de Cleo Knight. Todas estas cosas podrías haber hecho, Snicket. Me quedé temblando apoyado en una de las paredes del edificio y volví a pensarlo. Podrías hacer cualquiera de estas cosas. Deberías hacerlas. No tienes que reunirte con ella. Es una mentirosa y una ladrona. Está desesperada. Es una fuente de problemas. Además, te robó. Nadie sabe lo que le prometiste. Puedes mantenerlo en secreto.

Pero te puedes decir a ti mismo lo que sea. Un lince es solo una de las maravillas de la naturaleza, y a ti no te va a provocar pesadillas. Solo fue una vez durante una excursión. Hace muchos años, y deberías olvidarlo ya. Pero luego estás sentado en la cama en medio de la noche, con el corazón que se te sale del pecho, y no importa lo que te digas a ti mismo. Tu hermana ya es mayor. La rama de un árbol ya no le puede hacer daño. No necesitas estar en la ciudad para ayudarla. Puedes estar aquí, en Stain'd-by-the-Sea. Nadie está en peligro, me dije. Abracé la bestia contra el pecho y empecé a caminar rápidamente. Ya sabes a dónde, me dije. A la esquina de Caravan con Parfait. Es en el Café Black Cat donde ella me espera.

CAPÍTULO 9

Si a este relato se le puede llamar misterio, el Café Black Cat es un misterio dentro de un misterio. Desde luego, había cosas misteriosas en el establecimiento. La brillante maquinaria del centro del local, que te proporcionaba pan o café, dependiendo de qué botón apretases, siempre funcionaba a la perfección, pero nunca vi a nadie atendiéndola. El desván era un lugar donde recogías paquetes, pero nunca vi a nadie entregándolos. En la pianola sonaban melodías que yo no conocía.

Pero no me refiero a estos misterios. No me importa quién engrasaba la maquinaria del Café Black Cat y se aseguraba de mantener los depósitos llenos de harina y grano tostado, o quién entregaba las cajas de libros llenas de hojas en blanco o equipos utilizados en botánica. Tampoco me importa la música. El verdadero misterio del Café Black Cat es la chica con las cejas arqueadas y la sonrisa enigmática que estaba en el mostrador cuando llegué, una taza vacía sobre el plato delante de ella y otra humeando delante del taburete de al lado. Aún tenía el pelo recogido, pero mi abrigo estaba doblado sobre el mostrador.

—Me dije que si no estabas aquí cuando el café se hubiera enfriado —dijo— ya no vendrías.

—Te dije que vendría —dije.

—Ni siquiera has escondido eso —dijo, señalando a la Bombinating Beast.

—Cierto —dije, aunque la traía metida bajo el brazo.

—¿Me lo vas a devolver?

—¿Me vas a decir qué es?

—Es la estatua de una bestia imaginaria.

—Es algo más que eso, y tú lo sabes.

—Lo único que sé es que Hangfire la quiere.

—Entonces, ¿por qué no se la has entregado?

Ellington sacudió la cabeza.

—No lo sé —dijo—. Siéntate, Sr. Snicket. Tómate el café.

Señaló el taburete contiguo al suyo y me senté, pero aparté el café.

—Sabes que soy un completo abstemio por lo que al café se refiere.

—Te gustaría si lo probases.

—Prefiero la zarzaparrilla.

—He buscado zarzaparrilla para ti por todo el pueblo —dijo—. Incluso ayer miré si tenían cuando se la estaba jugando a la señora de Partial Foods. No la venden.

—Ya lo sé —dije—. Es uno de los muchos inconvenientes de este pueblo.

Tomó un sorbo de mi café.

—¿Cuáles son los otros?

Las decepciones que causa Stain'd-by-the-Sea son demasiadas para enumerarlas.

—Este pueblo queda lejos de personas a las que me gustaría tener cerca —dije—, y está amenazado por las tretas de un malo muy malo.

—Me imagino que eso es lo que nos ha traído aquí a ambos.

—No —dije—. Yo estoy aquí porque es donde está mi acompañante.

—¿Pero ella por qué ha venido?

—Es complicado —dije—. Es como un cuento tan largo que te acabas perdiendo. ¿Te sabes ese de la pelea por una manzana y una hermosa dama?

—¿El que termina con una estatua hueca y un fantasma al que le gusta enterrar cosas? Mi padre me lo estaba leyendo cuando desapareció.

Terminó el café y puso la taza del revés sobre el plato. Un gesto refinado.

—Cada noche, mi padre volvía a casa del campo y dejaba las botas en el porche. Entonces había inundaciones, y las botas estaban tan llenas de barro que no valía la pena lavarlas. Preparaba la cena en calcetines, después yo fregaba los platos, y él se servía un vaso de vino y me leía un capítulo de algo antes de apagar las luces.

—Una vida entrañable —dije.

—Sí que lo era —la voz de Ellington sonaba muy lejana, y apenas la oía por encima de la pianola—. Mi padre era naturalista, así que la casa estaba siempre llena de flores silvestres de los prados cercanos, o de cachorros que había rescatado, recuperándose en viejas cajas de zapatos hasta que estaban lo bastante bien para liberarlos. Y era un amante de la música, así que le daba cuerda al tocadiscos a primera hora de la mañana para que tuviéramos música en el desayuno. Una noche no se oyeron las botas en el porche, y desde entonces esa música es todo lo que me queda.

—Siento que hayas tenido que dejar atrás

esa vida —dije—, pero es posible que puedas recuperarla.

—Todavía tengo esto.

Ellington buscó en el bolsillo y dejó un objeto pequeño entre las dos tazas de café. Era igual que la anticuada gramola, pero del tamaño de una baraja de cartas. Le dio vueltas a la diminuta manija y ambos nos inclinamos para oír la tintineante musiquilla.

—Mi padre siempre llevaba encima esta caja de música —dijo—, para poder escuchar las canciones por muy lejos que se internase en la naturaleza. La olvidó el día de su desaparición, y por eso la he guardado.

—Reconozco esa melodía —dije, recordando la noche que Ellington y yo nos conocimos. Era la misma música que había estado sonando en el tocadiscos de Handkerchief Heights. Era un tema triste pero no dramático, como si quisiera decir que no merece la pena deshacerse en lágrimas cuando hay tanto trabajo por hacer.

—¿Cómo se llama?

Ellington se limitó a negar con la cabeza. Hay secretos que uno quiere guardar para sí, aunque no tengan ninguna importancia. Y puede que solo tengan importancia si uno decide seguirlos guardando.

—He visto el renacuajo rescatado —dije— en el lavabo. ¿Crees que tu padre estuvo allí?

—No lo sé. Pero salvar un animalito de ese tipo es algo que él haría seguro.

—Puede que sea pequeño, pero también fiero —y levanté el dedo para enseñarle la pequeña marca de la mordedura.

—Eso debe de doler.

—Tanto como parece.

—Si estuviera mi padre, sabría curarte —dijo Ellington—. Cogería las hierbas necesarias de las grietas de la acera y prepararía algo eficaz en un momento. Es un científico brillante.

—Stain'd-by-the-Sea necesita buenos científicos —dije—. Tal vez tu padre y Cleo Knight pronto puedan trabajar juntos para impedir que el pueblo desaparezca por completo.

—Pero mientras tanto —dijo Ellington con un suspiro— estamos solos. Estamos solos y es difícil. ¿No te parece difícil estar solo?

Dejé el bulto que llevaba sujeto, la misteriosa estatua cubierta con una manta.

—No sé —dije—. Me enseñaron a que no me importara.

—¿Quién ha podido enseñarte eso? ¿S. Theodora Markson?

—No, no, lo aprendí mucho antes de que fuese mi acompañante.

—Ah, sí —dijo—. Me habías contado que tuviste una educación poco convencional, pero sin dar más detalles.

—No me gusta pensar en los detalles.

—Excavar un túnel, me dijiste una vez. Excavar un túnel hasta los sótanos de un museo.

—Eso es.

—No hay museos en Stain'd-by-the-Sea.

—No —dije—. No los hay.

—Así que no puedes estar excavando. Pero hay alguien que sí.

—Sí.

—Alguien que preferirías tener cerca, como dijiste antes.

—Sí.

—Entonces parece que sí que te importa estar solo, después de todo.

—Ya te lo he dicho, nos enseñaron a que no nos importara —dije—. Te pueden enseñar lo que quieran. Lo cual no significa que tú lo aprendas. Ni significa que te lo creas.

—Entonces, ¿no podrías ir a ayudar a esa persona que está excavando el túnel?

—No —dije—. Tengo que estar aquí.

—¿Por qué? ¿Por Theodora?

—Por ti —dije—. He prometido ayudarte. ¿Ya no te acuerdas, Srta. Feint?

Ellington me miró y sus ojos verdes se humedecieron.

—Sí —dijo—. Sr. Snicket, mi padre es un hombre tan dulce. Debe de estar muy asustado, dondequiera que esté. ¿Cómo podemos encontrarle?

—Si encontramos a Cleo Knight —dije—, creo que encontraremos a tu padre. Cleo es una gran química, y él un gran naturalista. Hangfire está reuniendo gente con talento y obligándoles a hacer cosas terribles.

—Mi padre nunca haría algo terrible.

No contesté. No le conocía. Me parecía que todo adulto termina haciendo algo terrible tarde o temprano. Y todos los chicos, pensé, tarde o temprano acaban siendo adultos. No me gustó esa idea, así que me puse a escuchar el sonido de la pianola mezclado con el sonido de la caja de música de Armstrong Feint. Estaba escuchando cuando se añadió un nuevo sonido, uno que me entristeció reconocer. Era un chaval de mi edad, asomado a la ventanilla de un furgón y haciendo de sirena. En cuestión de minutos los agentes

Mitchum hicieron su entrada en el Café Black Cat, seguidos del burlón de su hijo y de un enorme montón de lana. Tuve que parpadear tras veces antes de darme cuenta de que el ovillo era en realidad S. Theodora Markson, con el pelo aún más desmadejado que de costumbre.

—Snicket —gritó—. ¡Conque ahí estabas!

—¡S! —no pude resistirme a contestarle—. Aquí estoy.

—Los agentes te estaban buscando, Snicket. Me han interrumpido mientras me aplicaban el champú. Les he contado que te gusta echar a perder aquí todo el día soñando despierto con Elaine.

—Se llama Ellington Feint —dije—, y está aquí mismo, oyéndote.

—No nos interesa lo que oyen tus amigos —dijo Harvey Mitchum—. Nos interesa lo que tú estás tramando.

—Mi acompañante me pidió que me perdiese hasta la hora de cenar —dije.

—¿También te pidió que enviases a la policía a perseguir fantasmas? —pregunto Mimi Mitchum—. Has hecho perder el tiempo a las fuerzas del orden, y al hijo de las fuerzas del orden, que podrían haber estado ocupados en algo más constructivo.

—Es verdad —me dijo Stew con una hipocresía para la que los adultos no tenían oído—. Yo quería hacer ejercicios de ortografía y me has hecho perder la tarde.

Era inútil intentar convencerles de que Stew Mitchum hubiera preferido continuar sus correrías con el tirachinas, que le sobresalía visiblemente del bolsillo.

—Nos dijiste que fuéramos a ver a la familia Knight —dijo Harvey Mitchum—. Nos dijiste muchas tonterías sobre el Dr. Flammarion. Y en cambio...

—Déjame contarlo a mí, Harvey —dijo Mimi—. Yo cuento mejor las historias.

—¡No las cuentas mejor!

—¡Pero mucho mejor! Me acuerdo de aquella vez que conté una historia en la fiesta que daba a la hora del té la madre de nuestros amigos en el restaurante que estaba en la esquina junto a la tintorería donde iba aquel hombre…

—¿Lo ves? —graznó Harvey Mitchum triunfante—. ¡Esa historia ya nos está aburriendo, y todavía no la has contado!

—Si todavía no la he contado, ¿cómo os puede estar aburriendo?

—¡Tú puedes volver aburrida cualquier cosa, Mimi! ¡Eres como una varita mágica del aburrimiento!

—¡Pues tú eres como una varita mágica del mal aliento!

—¡Tengo mal aliento de comer tus guisos!

—¡Ahí te doy la razón! ¡Tú nunca cocinas!

Ellington Feint no había frecuentado a los Mitchum, pero supo instintivamente que la única manera de parar la discusión iba a ser interrumpiendo.

—Perdón —dijo—, pero ¿qué sucedió durante su visita a los Knight?

Harvey Mitchum le dirigió una mirada de irritación.

—No sucedió nada —dijo—. Los Knight se han ido de Stain'd-by-the-Sea. El edificio entero de Ink Inc. está cubierto con paneles, como casi todos los demás edificios del pueblo.

Pensé en lo que habían dicho Zada y Zora. ¿Qué podían hacer si el Sr. y la Sra. Knight daban la orden de marcharse? Ellas no eran más que las criadas.

—¿Se han ido las amas de llaves?

—Se ha ido todo el mundo. Nos mandaste a un edificio vacío, Snicket, y hemos recurrido a tu acompañante para averiguar por qué.

—Yo le diré por qué —dije—. Porque estoy intentando resolver el caso de Cleo Knight.

—No hay ningún caso de Cleo Knight —afirmó Teodora—. Como les he dicho a los agentes, no se ha cometido ningún delito. Sabemos que la joven Knight se fugó con el circo, y sabemos que sus padres se han mudado a la ciudad.

—No sabemos nada de eso —dije. Me volví hacia los agentes—. ¿Han encontrado al Dr. Flammarion? ¿Han hablado con él?

Mimi Mitchum me negó con la cabeza de una manera en que a nadie le gusta que le nieguen con la cabeza.

—En primer lugar —dijo—, el Dr. Flammarion es un respetado boticario. Y en segundo lugar, bueno, en realidad no hay segundo lugar. Caso cerrado.

—Pero el coche de la Srta. Knight sigue aparcado frente a Partial Foods.

—Sé razonable, Snicket. La Srta. Knight fue vista saliendo de Partial Foods y entrando en un taxi.

—Esa no era la Srta. Knight —dijo Ellington con calma—. Era yo.

—¿Tú? —dijo Harvey Mitchum con un gesto severo.

—Sí. Se la estaba jugando a la tendera.

—Así que tú y el tal Snicket nos estabais engañando a todos.

—Snicket no sabía nada —dijo Ellington—, hasta que nos vimos aquí.

Una vez tuve unos pantalones que se me ajustaban tan bien como la historia de Ellington se ajustaba a la verdad. Se me cayeron en cuanto di un paso.

—Entonces me temo que estás arrestada —dijo Mimi Mitchum con severidad, y sujetó a Ellington por el brazo—. Jugársela a alguien es lo que se llama fraude, y el fraude es un delito.

—Esto es un error —dije—. Deberían estar buscando a la Srta. Knight en lugar de detener a la Srta. Feint.

—No intentes enseñarnos el oficio —dijo muy serio Harvey Mitchum—. Esta joven estuvo implicada en un robo no hace mucho, y ahora es culpable de fraude. Aún es pronto para sacar conclusiones, pero no me sorprendería que estuviera implicada en las otras fechorías.

—Como las amenazas a la biblioteca —dijo Mimi.

—O los melones robados —dijo su marido.

—O el cristal roto en el callejón.

Harvey Mitchum miró directamente a los ojos verdes de Ellington Feint.

—Te has metido en un buen lío, jovencita. Me parece que te vas a ir a la ciudad en el primer tren que salga, donde serás encarcelada por tus delitos. Mientras tanto, te vamos a llevar a la comisaría y te encerraremos hasta que hayamos aclarado las cosas.

No quise ni pensar en cuánto tiempo nos llevaría aclarar las cosas. Mi propia jefa aún no había encontrado un peinado aceptable, y llevaba años dejándose crecer el pelo. Los agentes Mitchum desfilaron por la puerta con Ellington, y yo me puse el abrigo y me metí la Bombinating Beast bajo el brazo antes de seguirles.

—Qué preciosidad de mantita —murmuró

Stew con sorna, señalando el fleco azul claro.

—Me alegra que te guste —respondí—, pero no está en venta.

—Es una pena que no quieras hacer negocios conmigo —dijo con una mirada siniestra—. Voy a ser una persona importante.

—Ya lo eres —dije—. El chaval más amable que el pueblo ha conocido.

—Tú bromea —dijo—. Sigue bromeando y verás cómo acabas.

—Me imagino que ahora debería tener miedo —dije—. Tienes puntería con el tirachinas.

El hijo de los policías se me acercó a un palmo.

—Y tengo un amigo —dijo— que maneja bien el cuchillo.

Mi reacción inmediata fue mirarle bajo una luz diferente, una frase cuyo sentido aquí es que ya no pensaba que fuese inofensivo. Siempre se aconseja ignorar a los matones. Es lo que te enseñan, y en realidad no te enseñan nada. No significa que lo aprendas. No significa que te lo creas. No hay que ignorar a los matones. Hay que pararles los pies.

—Sube, Snicket —dijo Harvey Mitchum mientras se montaba él también. Parece que le tocaba a él llevar el volante—. Te llevamos a ti y a tu acompañante hasta la estación.

—Muy amable —dijo Theodora—. Siento que mi pupilo haya causado tantos problemas.

Los adultos se juntaron en el asiento de delante, y los chavales en el de atrás, así está hecho el mundo. Stew sacó la cabeza por la ventanilla y empezó a hacer la sirena, y Ellington miraba al frente sin decirme nada. Dejé que pensara en sus cosas mientras yo escuchaba a los adultos. Hablaban de lo difícil que era educar a los jóvenes. Desobediencia, decían. Autoridad. Una edad difícil. Cuando eran pequeños, nunca se hubieran atrevido a hacer lo que hacen los chavales de hoy sin pestañear. Si sus abuelos vivieran para verlo, se revolverían en sus tumbas.

Preferí escuchar el motor del furgón. Tenía más lógica.

Los Mitchum aparcaron y cruzamos por el césped, junto a la estatua que se había fundido en la explosión. Subimos las escaleras y entramos en la comisaría. Me impresionó incluso menos que por la mañana. Tal vez porque entonces había pensado que la policía haría lo correcto. Llevaron a Ellington Feint al otro extremo de la habitación y la metieron en la celda. Miré cómo se sentaba en el camastro y Stew aprovechó la oportunidad para propinarme una patada en el gemelo cuando nadie miraba. Pegó fuerte. Me hubiera gustado tener a mano el renacuajo que muerde. Los adultos estaban aún renegando por la situación de la juventud de hoy en día, así que me acerqué a examinar la situación de Ellington.

—Es una cerradura de cilindro metálico bastante ordinaria —le dije en un susurro—. Puedes abrirlo con una de tus horquillas. Piensa en la cerradura como si fuese una cómoda diminuta. Si abres cada cajón lo justo, la cerradura se abre.

Asintió discretamente.

—No podré —susurró ella también— a no ser que los distraigas.

—La policía está pendiente de mis enredos —dije—, pero intentaré darles motivos para dejar la comisaría. Mientras tanto, por lo menos aquí estás segura.

—Cualquier cosa que esté aquí encerrada —dijo— está segura.

Reculé ligeramente. Ellington se levantó del camastro.

—Dámela —dijo—. Es el mejor sitio para tenerla.

—Vamos, Snicket —me llamó Theodora—. Nos hemos pasado un pelo con estos agentes.

Era imposible no sonreír cuando Theodora pronunciaba la palabra «pelo». Ellington también sonrió.

—Te va a preguntar qué es —dijo.

—No se va a enterar.

—Se va a enterar.

—Bueno, entonces se lo diré.

—No, no se lo digas.

Pero Theodora ya estaba encima de mí.

—¿Qué es eso? —dijo, escudriñando lo que llevaba en brazos. Miré a Ellington Feint. Ellington Feint me miró a mí.

—Es mi mantita especial.

—¿Tu mantita? —repitió Teodora frunciendo el ceño—. Sé sensato, Snicket. No es propio de alguien de tu edad tener una mantita especial. Dámela.

—Estaba pensando en dársela a la Srta. Feint —dije— para que le haga compañía.

—Estoy tratando de aprender a no preocuparme —dijo Ellington en voz baja.

—Te pueden enseñar lo que quieran —dije, y me saqué la estatua de debajo del brazo. Incluso cubierta por una manta infantil se podía percibir que era un objeto oscuro, misterioso, amenazante.

Sentí su peso mientras la pasaba entre los barrotes. Te pueden enseñar lo que quieran. No significa que lo aprendas. Ni significa que te lo creas. Yo no me creía que le estuviese dando la Bombinating Beast a Ellington Feint.

CAPÍTULO 10

Moxie me estaba esperando a la puerta de la comisaría. Parecía que se le habían cruzado los cables. Incluso había dejado en el suelo la máquina de escribir a la puerta de la biblioteca para poder cruzarse también de brazos.

—No te enfades, Moxie.

—Sí que estoy enfadada —dijo—. Me pasé horas en la biblioteca leyendo historia militar y, cuando fui a enseñarte lo que había encontrado, resulta que tú te habías escabullido.

Theodora me puso una mano severa en el hombro.

—«Escabullido» no es correcto —le dijo a Moxie—. La palabra correcta es «escapado». Y no me sorprende que Snicket te haya decepcionado, quienquiera que seas.

Moxie volvió la mirada hacia mi acompañante y se llevó la mano al ala del sombrero.

—Soy Moxie Mallahan —dijo, ofreciendo a Theodora una de sus tarjetas—. *The News.* Ya nos hemos visto antes.

—No me interesa hablar de encuentros imaginarios —dijo Theodora metiéndose distraídamente la tarjeta en el pelo—. He tenido un día difícil. He resuelto un caso en cuestión de minutos, pero después mi aprendiz se ha pasado la tarde mandando a la policía a por uvas. Han detenido a su amiguita, y yo estoy pensando en ponerlo de nuevo en libertad condicional.

No hacía mucho que había descubierto la diferencia entre estar o no en libertad condicional.

La diferencia es que, si yo estaba en libertad condicional, Theodora podía recordarme que estaba en libertad condicional, y si no lo estaba, Theodora podía recordarme que podía volver a estar en libertad condicional. Theodora me miró a hurtadillas para ver qué pensaba. Yo miré al suelo.

—Siento mucho oír eso, Sra. Markson —dijo Moxie, intentando no fijarse en el pelo—. Una persona de su talento no debería aguantar el estorbo de un aprendiz inepto. Si ha resuelto un caso, tendría que estar celebrándolo y no persiguiendo a subordinados problemáticos.

La voz de Theodora se ablandó un poco, como una cebolla pasada.

—No puedo estar más de acuerdo —dijo—. Parece que eres más sensata de lo que creía.

—Es usted muy amable —dijo Moxie con educación.

—Snicket, piérdete —dijo Theodora—. Voy a celebrar la resolución del caso.

—Yo lo vigilo, Sra. Markson —dijo Moxie—. Así no podrá pasarse ni un…

Me fijé en la cara de Moxie tratando de hacer algo muy difícil. Una carcajada es más difícil de tragar entera que un melón chino. Torció la boca en todas las direcciones, y los ojos saltaban como locos de un lado a otro mirando a todas partes menos a mí.

—Ni un pelo, Sra. Markson —terminó al fin—. Ni un pelo.

Theodora asintió y bajó las escaleras. Esperamos a estar lejos para poder soltar la carcajada y nos reímos al unísono.

—Te sale muy bien la voz de persona educada —le dije.

—Muy amable —repitió—. Mi madre decía que una voz de persona bien educada es la mejor arma del periodista, porque es más probable que la gente te dé información importante si les tratas correctamente. Tenía una expresión para decirlo: se atrapan más moscas con miel que con vinagre.

—En cualquier caso —dije—, lo que atrapas siguen siendo moscas. ¿También te enseñó tu madre eso de subordinados problemáticos?

—Mi padre llamaba así a todo el mundo en el periódico, en broma —se quedó mirando hacia el césped, a la estatua dañada y al cielo que se oscurecía—. Cuando el periódico aún funcionaba —dijo—, y cuando mi padre aún tenía ganas de broma.

—Es una bonita expresión —dije.

—A lo mejor no eres un subordinado problemático, Snicket, pero problemático desde luego que lo eres. Dijiste que éramos socios y luego te marchaste de la biblioteca sin avisar.

—Tuve que seguir a alguien.

—Habría ido contigo.

—Te lo he dicho muchas veces, Moxie, no te quiero poner en peligro.

Se agachó para coger la máquina de escribir.

—Soy periodista, Snicket. Una noticia peligrosa es una noticia interesante, y las noticias interesantes deben salir en el periódico. Y ahora cuéntame todo lo que ha pasado desde que tú te escapaste de la biblioteca…

—Te escabulliste —dije, pero Moxie se limitó a negar con incredulidad.

—¿Cuándo te fuiste? ¿A quién seguías? ¿Por qué? ¿Dónde fue? ¿Qué encontraste? ¿Por qué no me lo has contado?

Me senté en las escaleras.

—Te lo voy a contar ahora —dije.

Abrió la máquina de escribir.

—Cuéntamelo todo —me insistió.

Se lo conté todo. Tecleaba frenéticamente, como si estuviera persiguiendo algo con ansia. Se quitó el sombrero y se rascó la frente para pensar.

—De manera que Ellington Feint se hizo pasar por Cleo Knight, y así Cleo podía quedarse en el pueblo y terminar su fórmula de tinta invisible.

—Pero la Srta. Feint siguió haciendo de Cleo Knight con la Sociedad Inhumana para poder acercarse a Hangfire y rescatar a su padre.

—Y entretanto Cleo fue raptada, y nadie ha visto ni oído nada desde entonces.

—Tal vez hay alguien que sí —dije de repente—. ¿Tienes hambre?

—Sí.

—Tiene gracia. Pensé que la hambrienta era otra.

—No te sigo, Snicket.

—Pues sígueme, Moxie.

Moxie me siguió. Los últimos rayos de sol iluminaban la hierba en franjas apagadas. La forma de la estatua destruida daba una sombra alargada y extraña.

—No me has preguntado qué es lo que he descubierto yo —dijo Moxie.

—Pensé que estabas demasiado enfadada para contármelo.

Me miró mal.

—No me gustó nada que me dejases tirada en la biblioteca, pero encontré información interesante. Dashiell Qwerty pasó a ver cómo estaba, y la cuestión es que dejó en la mesa un libro que ha resultado ser importante. ¿No te parece una extraña coincidencia?

—Podría ser *serendipia* —dije—, o podría ser otra cosa.

—Siempre que hablo contigo, me da en la nariz que detrás va a haber otra cosa—dijo Moxie—. Te dedicas a perseguir misterios, Snicket, pero tú mismo has sido un misterio desde que llegaste al pueblo. Tengo la sensación de que hay algo que no me dices; un secreto escondido, como un túnel subterráneo.

Me dejó helado.

—¿Qué has descubierto, exactamente?

Moxie avanzó hacia los restos de la estatua y recorrió con las manos el metal fundido y frío.

—¿Recuerdas la fotografía que te enseñé?

Asentí con la cabeza.

—La colocación de la primera piedra, con todo el mundo reunido para celebrar el inicio de los trabajos en la estatua del coronel Colophon.

—No todo el mundo estaba de celebración —dijo Moxie—. El libro que Qwerty dejó en la mesa hablaba de lo que había pasado antes. Hubo una áspera discusión sobre la estatua, y después de la ceremonia fue aún peor. Había quien pensaba que no deberían celebrar la guerra y que no se debería honrar al coronel Colophon por tanto derramamiento de sangre. El árbol que habían arrancado era el hogar de las polillas comedoras de pulpa de Farnsworth, y la gente estaba indignada porque nadie pensó en lo que iba a ser de esa rara especie en peligro. Incluso se formó una especie de grupo de agitadores.

—La Sociedad Inhumana —dije.

Moxie pestañeó sin dejar de mirarme.

—Lo sabía —dijo—. Sabía que tú lo sabrías.

—En realidad no lo sabía —dije—. Pero lo adiviné.

—Eres un buen adivino.

—Porque tengo buenos socios.

Estábamos a la puerta de Hungry's y la abrí

para que entrara Moxie, que enseguida se sentó al mostrador y escribió unas líneas. Pela y Cañas saludaron con un gesto cuando oyeron el ruido, y Jake Hix nos saludó con la mano desde los fogones, donde había algo chisporroteando.

—¿Acabaste aquella novela de misterio?

—No del todo —dijo Jake.

—Bueno, a lo mejor puedes ayudarme con un misterio real.

Jake puso aquello chisporroteante en dos platos y molió pimienta encima.

—Déjame que sirva esto y vuelvo a hablar contigo —dijo.

—¿Qué has preparado?

—Huevos encestados. Ahora te preparo unos.

—Para mí también, Jake —dijo Moxie sin levantar la vista de sus notas.

Jake le sonrió y sirvió la cena a los hermanos Bellerophon.

—Pues claro, Moxie. Hacía tiempo que no te veía. ¿Cómo te ha ido?

—He estado ocupada —dijo Moxie, y siguió tecleando mientras Jake se puso manos a la obra, echando otro dado de mantequilla en una sartén caliente.

—Escucha —le pregunté a Pela—, ¿por qué no mencionaste que habías llevado a Ellington Feint el otro día en el taxi?

—No preguntaste —dijo Pela con la boca llena.

—No preguntaste más que por Cleo Knight —dijo Cañas.

Jake miraba la mantequilla muy serio.

—Si has venido por este asunto, Snicket, a lo mejor resulta que no quiero hablar contigo —me dijo—. Te lo repito, no hablo de mis clientes.

—Sabes guardar secretos —dije—, pero no bien del todo. Cometiste un error. Dijiste que no la conocías mucho, y luego la llamaste Cleo. Todo el mundo la llama Srta. Knight. Hasta sus padres la llaman Srta. Knight. Tenéis que ser muy buenos amigos para llamarla Cleo.

Jake permaneció un minuto en silencio. Cortó dos rebanadas de pan, abrió un agujero en cada una, justo en medio, y las deslizó en la sartén crepitante con un puñado de espinacas y unos cuantos champiñones. Se disponía a cascar dos huevos y todavía no podía mirarme. Los huevos encestados son huevos fritos en medio de una rebanada de pan. Como si una tostada y un huevo frito bailasen juntos, con las espinacas y los champiñones haciendo los coros. Estaba molesto conmigo, pero seguía preparándome la cena. Jake Hix era una persona de honor.

—No somos amigos —dijo por fin en voz baja—. Somos novios, ¿de acuerdo? Ya podéis reíros si queréis.

—Nunca me reiría de la vida sentimental de nadie —dije—. No es asunto mío.

—Pues la familia Knight no piensa lo mismo —dijo—. No ven con buenos ojos que un cocinillas como yo se relacione con su brillante química.

—La química y la cocina básicamente funcionan igual —dije—. Todo se reduce a mezclar y calentar elementos básicos.

Pela señaló su cena con el tenedor.

—Entonces yo diría que tú también eres un químico brillante, Hix.

Jake sonrió y tapó la sartén.

—Bueno, los Knight pusieron el grito en el cielo y Cleo y yo hemos tenido que mantenerlo en secreto. Pero ahora que los Knight se han ido, no hay razón para andar ocultándolo.

—¿Quieres decir que puedo publicarlo? —preguntó Moxie, con los dedos en posición sobre las teclas.

—Pues claro —dijo Jake—. Se secó las manos en un trapo y se lo echó al hombro.

—Cleo está escondida, trabajando en un experimento importante. Cuando haya terminado, Stain'd-by-the-Sea volverá a ser un pueblo de verdad, y Cleo y yo nos casaremos.

—Me temo que no es así —dije.

—Sí —dijo Jake—. Cleo hizo un trato con

una chica. La otra se tiñó el pelo y se vistió con su ropa, para que cualquiera que la estuviese buscando siguiera una pista falsa. Lo siento, Snicket, pero has estado disparando con balas de fogueo.

—He disparado con balas de fogueo y le he dado a un pájaro —dije—. Escucha, Jake. ¿Cleo te ha llamado?

Jake negó con la cabeza.

—Dijo que podía tardar —contestó—. No estoy impaciente. Cleo no tiene miedo de nada, salvo a las alturas y a no terminar su fórmula.

Lo miré y le pregunté cuándo la había visto por última vez.

—Ayer por la mañana, a la puerta del restaurante —dijo señalando con la espátula. Destapó la sartén y el vapor le subió a la cara—. Se tomó un té y luego se montó en el Dilemma y se marchó. Es lo que te había contado, Snicket. Solo que no te lo había contado todo.

Sirvió los huevos encestados, primero a Moxie y luego a mí. Sabía que estaban deliciosos, pero no quería comérmelos. No quería estar en Hungry's dándole a Jake Hix las malas noticias.

—El Dilemma de Cloe Knight está aparcado a una manzana de aquí con una rueda pinchada —dije—. El boticario de la familia se la ha llevado, Hix.

Jake Hix se puso pálido.

—No —dijo—. No es verdad, Snicket.

—Me temo que sí —dije—. Creo que está en poder de un tal doctor Flammarion y de un facineroso de nombre Hangfire. Yo diría que se encuentra en la clínica Colophon.

Miré al otro lado de la barra buscando a Pela y Cañas.

—Nos vendría bien que nos llevarais —dije— para poder recuperarla.

—Por supuesto —dijo Pela—. Vamos allá.

Nos levantamos de la barra, Jake Hix tiró al suelo el trapo de cocina y le dio la vuelta al cartel de la ventana para que mostrara el lado de «Cerrado».

—¿Por qué no me lo has dicho antes, Snicket? —preguntó—. ¿Por qué me has dejado parlotear cuando mi novia estaba en peligro?

—Lo siento —dije—. Tenía que estar seguro.

—¿Seguro de qué?

—De que podía confiar en ti —dije—. Antes me habías mentido.

—Por supuesto que puedes confiar en mí —dijo Jake Hix—. Leemos los mismos libros.

—¿Cabe todo el mundo en el taxi? —preguntó Moxie, cerrando de golpe la funda de su máquina de escribir.

—Si nos encogemos —chilló Cañas.

Jake negó con la cabeza.

—Yo voy en el Dilemma —dijo—. Tardo un segundo en cambiar la rueda. Os veo en la clínica Colophon.

—Hay dos melones debajo del coche —dije—. Te agradecería que los devolvieses a Partial Foods.

Jake estaba tan azorado que no me preguntó

por qué. Salimos enseguida y él echó a correr para doblar la esquina en dirección al coche de Cleo. Estaba refrescando. Había un viento cascarrabias y por los rincones se veían papeles blancos volando cada vez más y más alto. Parecían plantas secas que se habían roto por las raíces y dejaban que el viento se las llevase sin rumbo. Las vi una vez en un viaje al desierto que hice con mis padres. Plantas rodadoras. Pero eran los carteles de la desaparición de Cleo Knight, volándose. DESAPARECIDA. Si no la encontramos pronto, pensé, desaparecerá para siempre.

Moxie se volvió hacia mí cuando entramos en el taxi.

—¿Estás seguro de que puedes fiarte de mí, Snicket?

—Seguro que estoy seguro —dije—, y lo mismo digo por vosotros, los de ahí delante.

—Te estoy muy reconocido —dijo Cañas. Quería decir «gracias», y su hermano lo dijo al modo tradicional.

—Si confías en mí —dijo Moxie—, ¿por qué tengo la impresión de que hay cosas que no me dices?

—También hay cosas que tú no me dices —respondí—. Todo el mundo está ocultando una parte de la verdad a los demás.

Eso zanjó la cháchara. El taxi pasó traqueteando por las calles y luego por una larga carretera que salía del pueblo en línea recta. Mantuve la mirada al frente. Nadie hablaba. Los hermanos Bellerophon ni siquiera pidieron una propina. Si la hubieran pedido, les hubiese hablado de un libro en el que estaba pensando durante el viaje. Era sobre una chica llamada Kit que se gana la reputación de bruja. Se mete en muchos líos, pero se las arregla para encontrar a alguien en quien puede confiar. Se llama Nathaniel, y le poneel nombre a un barco pensando en ella. El barco se llama *La bruja*, pero no recuerdo el nombre del autor. Además tampoco quería pensar en alguien a quien le gustaba ese libro más que a mí, y que también se llamaba Kit. Los dos teníamos algo en común ahora mismo. Ambos nos dirigíamos al lugar equivocado, un enorme y oscuro lugar que parecía ir a tragarnos enteros. En mi caso se trataba de unas altas puertas de hierro, mucho más altas y temibles de lo que debe ser una puerta. En una de ellas decía «Clínica», y en la otra decía «Colophon». Las puertas ya estaban abiertas, de par en par, como el abrazo de alguien que no soportas. Las atravesamos.

Los hermanos Bellerophon pararon el taxi. Había un silencio sepulcral. La situación de mi hermana era probablemente peor, me dije, pero ¿crees que tiene tanto miedo como tú? ¿Qué te parece, Snicket? ¿Crees que puedes ser tan valiente como ella? No me sentía valiente. Me quedé mirando la noche, donde todas mis preguntas podían encontrar respuesta, pero el escalofrío que me bajó por la espalda me decía que me faltaba mucho aún para llegar a su valentía.

CAPÍTULO 11

No hacía falta que la clínica Colophon tuviera
un aspecto malévolo para ser un lugar malévolo, pero lo tenía. Era un edificio de piedra negra
con ventanas estrechas distribuidas de forma ca-
prichosa, como si alguien hubiera apuñalado el
edificio. Para llegar a la puerta principal había
que subir un tramo de escaleras rotas entre cu-
yas grietas crecía un musgo negro y resbaladizo.
Había una torre plantada arriba de todo, altísima
y puntiaguda, y tejas afiladas como cuchillas por

todo el tejado. No sé por qué los lugares malévo-los en general parecen malévolos. Tendrían que parecer acogedores para engañar a la gente, pero no, ni hablar. Incluso el cielo ponía de su parte, amenazando lluvia. Hasta los arbustos, y hasta las flores de los arbustos, parecían tener malas intenciones. Pela oteaba el panorama con pre-caución a través del parabrisas.

—Esto no tiene buena pinta, Snicket.

—No —dije—. Déjame aquí. Nos vemos cuando vuelva al pueblo.

—Ah, sí, claro, aquí te voy a dejar —dijo Pela—. «Nos vemos cuando vuelva al pueblo», dice. Te dejo en un sitio como este y te veo a la vuelta. Claro, algo muy propio de unos tíos simpáticos como mi hermano y yo. No pasa nada por dejar a alguien tirado en un sitio peligroso. Y como somos tan buena gente, seguro que de camino a casa atropellamos algún cachorrillo.

—Nos quedamos, Snicket —tradujo Ca-ñas, incorporándose para sentarse junto a su hermano—. Además, han cerrado las puertas.

—Ya no puedes librarte de mí —dijo Moxie.

—Yo diría que puedo convencerte de lo contrario —dije.

Sonrió, se puso seria y negó con la cabeza.

—¿Qué nos espera ahí dentro? —quiso saber Pela.

—No tengo ni idea —admití—. Tal vez Cleo Knight. O el Dr. Flammarion con sus agujas y la enfermera Dander con sus cuchillos, y puede que la Sociedad Inhumana entera con sus logradas risas de hienas despiadadas. No lo sabremos hasta que no estemos dentro.

—No eres gran cosa como detective, ¿no?

—Ni siquiera me considero detective —dije. Era lo que nos repetían una y otra vez durante nuestra infancia, desde el día en que empezamos a entender el sentido de las palabras hasta que nos graduamos y nos enfrentamos al mundo—. Parece que resuelvo misterios, pero nada de eso. Me limito a curiosear. Lo que hacemos, mis socios y yo, es como deambular entre los estantes de una biblioteca. No sabemos lo que vamos a encontrar. Pero tenemos la esperanza de que sea útil.

—Sí que es un trabajo extraño —dijo Pela.

—Es más una ocupación.

—Extraña ocupación, entonces.

—Hay que admitir que cuesta encontrar voluntarios.

—¿Por qué iba a presentarse nadie voluntario para deambular?

—¿Y por qué conduces tú el taxi?

—Ya lo sabes, Snicket —dijo Cañas—. Llevamos el taxi porque nuestro padre está enfermo y no puede.

—Pues yo me dedico a lo que me dedico básicamente por la misma razón.

—No lo entiendo —dijo Moxie en voz baja.

Me froté las manos en los pantalones, como para librarme de algo que se hubiera quedado pegado.

—¿Quién lo va a hacer si no lo hago yo? —dije—. Manos a la obra. Han cerrado las puertas, de manera que ya nos han visto. Pero no saben cuántos somos. Sería estúpido entrar todos juntos. ¿Alguien lleva reloj?

—Yo tengo el de mi padre —dijo Moxie remangándose.

—Yo también —dijo Cañas.

—Moxie y yo entramos juntos —dije—. Esperad diez minutos y luego entráis vosotros. Pedid el dinero de la carrera aquí afuera. A voz en grito y sin miramientos, ¿de acuerdo?

—De acuerdo —dijo Pela.

—Vamos a sincronizar los relojes —dijo Moxie juntando las esferas. Y ajustaron las manillas exactamente a la misma hora.

—Faltan tres minutos para las ocho —dijo—, ¡ahora!

—A las ocho y siete, harán su entrada los hermanos Bellerophon —dijo Cañas.

—Que no os vean hasta entonces —dije,

saliendo del coche. La lluvia hacía sus primeros ensayos. Moxie y yo caminamos hacia los peldaños. Recordé una vieja lección y me acerqué a los arbustos para recoger unas flores.

—¿Tienes una cinta, Moxie?

—¿Cómo?

—Una cinta del pelo, un palmo de cuerda, algo así.

—Tengo la cinta de la máquina de escribir —dijo Moxie señalando con una mueca—, pero no funciona sin ella, y son muy difíciles de encontrar en el pueblo.

—Entonces no importa —dije. Improvisé un ramo sujetando las flores con la mano. Era posible que dieran el pego y era posible que no lo dieran. Yo iba bien vestido. Subimos las escaleras. Me resbalé con el musgo, que me dejó olor a barro en el zapato. Una gota de lluvia crepitó al caer sobre el musgo. Nunca había oído la lluvia restallar sobre el musgo. Hizo que me detuviera.

Moxie me tiró del brazo.

—Vamos —dijo—. ¿Te acuerdas de lo que me dijiste en la mansión Sallis? Ya te asustarás después, Snicket.

Las puertas de cristal eran muy pesadas y tuvimos que abrirlas entre los dos. Entramos a una habitación alta, llena de ventanas que hacían lo posible por iluminar y ventilar. Sin grandes resultados. Había sofás caros para sentarse y, repartidos por allí, la clase de cuadros de los que la gente dice que los puede pintar su hijo de cinco años. Lúgubres niños de cinco años, en este caso. En el centro de la habitación había un gran escritorio hasta arriba de papeles, y allí sentada con los dedos entrelazados estaba la enfermera Dander. Nos miró directamente e hizo una ola con los dedos. Aquello no me gustaba nada. Nunca me han gustado los recepcionistas.

—¿Sí? —dijo.

—Reparto —dije yo—. Flores para… —hice el gesto ostensible de estar mirando una tarjeta que no existía— ¿el coronel Colonic?

—Colophon —me corrigió la enfermera Dander.

—Coronel Colophon.

—No hay nadie con ese nombre en la clínica Colophon.

—Si no hay ningún coronel Colophon en la clínica Colophon, ¿cómo sabía el nombre correcto?

—Deja las flores y márchate. Yo se las doy a Colophon.

Sacudí la cabeza.

—Tengo que dárselas en persona al coronel.

La enfermera Dander se puso roja.

—No me provoques —dijo—. Hemos llamado a la policía en el mismo momento en que entraste en nuestras dependencias. Esto es propiedad privada.

—Mis flores también son privadas.

Moxie me puso la mano en el hombro.

—Lo siento muchísimo —le dijo a la enfermera con su voz de persona bien educada—.

Alguien de su talento no debería ser importunada por un subordinado problemático. Si le permite usted a mi socio entregar estas flores, prometo que será severamente reprendido.

Dander se levantó. Aún llevaba la bata blanca, y se metió una mano en el bolsillo.

—Le acompañaré yo misma —dijo—, pero no creo que al coronel le haga gracia tener visita.

—Yo me quedo aquí esperando —dijo Moxie, y dejó la máquina en el pesado escritorio, entre dos pilas de papeles—. No hay prisa. Seguro que aquí encuentro alguna lectura interesante.

La enfermera Dander se sacó la mano del bolsillo y la puso sobre una de las pilas de papeles. Miré la hoja que estaba arriba del todo. La reconocí. La había visto en una casita que estaba junto al mar, cuando Stain'd-by-the-Sea tenía mar, y en un raído apartamento desvencijado sobre el antiguo acuario. Eran los papeles de Ellington Feint, el archivo que llevaba sobre la búsqueda de su padre. Eran importantes para

Ellington, y estaban en manos de uno de los socios de Hangfire. La enfermera miró primero los papeles, luego a mí, y luego a Moxie. No pude evitar sentir pena por ella, aunque fuera una pizca. Le habían dado la orden de que nadie entrara en el edificio y la orden de que nadie se llevase los papeles. Y no iba a cumplir ni una ni la otra.

—Ya me oriento yo solo —dije. La enfermera no contestó pero se quedó vigilando a Moxie. Esta es la parte más peligrosa, hubiera querido decirle. El motivo por el que no pensaba traerte. Sin embargo, la reportera parecía tranquila. Estaba abriendo la funda de la máquina y se detuvo para golpear con los dedos la esfera del reloj mientras yo pasaba junto al escritorio y doblaba la esquina donde iba a comenzar mi expedición por la clínica. Moxie tenía razón. Probablemente no nos quedaba mucho tiempo. Yo no llevaba reloj. Todo lo que me había dejado mi padre se había quedado hacía mucho en una estación de tren.

Una manera de medir el tiempo, cuando no se tiene reloj, consiste en silbar o tararear una pieza que uno sepa de memoria. Si dura cinco minutos, entonces al terminar han pasado cinco minutos. Ni que decir tiene que hace falta saber cuánto dura. Y yo no sabía lo que duraba esta. No sabía ni el nombre. Pero me la sabía de memoria, de oírla en el tocadiscos anticuado de Ellington y en la cajita de música que había perdido su padre, y me gustaba la melodía. Me hacía sentir acompañado.

Una clínica se parece bastante a un hospital, y algo no funciona cuando un hospital está vacío. Pasado el mostrador me encontré con un pasillo que parecía la imagen de un pasillo en un cuadro. Allí no quedaba nadie, ni doctores, ni pacientes, nadie visitando enfermos. Flotaba en el aire un olor a limpio, pero no era agradable. Alguien lo había fregado todo, y después habían pintado encima. Había una silla de ruedas vacía contra una de las paredes, y algunas puertas estaban abiertas. No se oía nada. Miré por la primera puerta y vi una cama pequeña. No me dio buena espina. Era una habitación de hospital como cualquier otra, pero la cama era demasiado pequeña. Yo hubiera cabido, pero en una postura incómoda. No había nada más en la habitación excepto un objeto metálico en el suelo. Desde la entrada, parecía una serpiente enroscada en una de las patas de la cama.

Me acerqué más. Era una cadena gruesa y fría al tacto. Un extremo estaba atado a la cama y el resto enrollado en el suelo, con un remate metálico de forma redondeada. Parecía una letra O, articulada para formar una letra C. Lo abrí y lo cerré un par de veces. Un instrumento así se llama grillete. Que la palabra suene antigua no significa que se haya dejado de usar el artilugio.

—No sabía qué esperaba —dije—. Pero, desde luego, no me esperaba esto.

Los grilletes no me contestaron. Empecé a silbar otra vez la pieza musical desde el principio.

En las tres habitaciones siguientes, la misma

historia, y no era una historia que me gustase. «Como un túnel subterráneo», había dicho Moxie, y yo pensé en mi hermana, avanzando tan sola como yo en otro lugar vacío. El corredor se curvaba a uno y otro lado, y todas las habitaciones parecían la misma. Mis zapatos iban dejando un rastro de musgo negro en el suelo impoluto. Al final llegué a una estancia grande y abierta. Las ventanas altas desde la alfombra hasta el techo me indicaron que era la parte de atrás de la clínica. Vi árboles enormes meciéndose suavemente en la lluvia, llenando de hojas la piscina que había visto en la fotografía, con su oscura banqueta de madera. Del extremo de la sala salía la escalera de caracol, un estrecho peldaño metálico tras otro, hasta la torre. Recordé que Cleo Knight tenía miedo a las alturas. Seguro que la tenían encerrada en la torre.

Si parece que me estoy callando algo sobre aquella estancia es porque me estoy callando algo. Había tres mesas muy largas, con sus correspondientes largos bancos. En las mesas había largos rectángulos de cristal. Tardé unos segundos. Después los reconocí. Tanques para peces, del acuario. Y colocadas a tramos regulares estaban sujetas las mismas cadenas, con las mismas pesadas formas y goznes que había visto en las camitas.

Pensaban encadenarlos a las mesas. Y a las camas. Aún no había nadie, pero todo estaba listo para traer niños a la clínica Colophon como prisioneros de la Sociedad Inhumana. La lluvia golpeaba las ventanas y yo subí la escalera. Era más estrecha de lo que pensaba, muy estrecha. Era como subir por una pajita de las de beber. Me pesaban los zapatos, y el eco de mi silbido rebotaba hasta lo más alto. Continué silbando. ¿Por qué no? Si había alguien, ya sabían que yo estaba llegando.

Entonces se oyó una voz arriba que gritaba algo. Me paré en seco.

—¿Ellington? —Era una voz de hombre.

—¿Sr. Feint? —dije—, ¿Armstrong Feint?

Subí las escaleras más deprisa. Mis pisadas retumbaban. Era cierto. Aquello no tenía nada que ver con resolver un misterio. Ni siquiera estaba haciendo lo que debía. Tenía que estar celebrando la resolución del caso con mi jefa en la suite Far East. Debía estar en la ciudad, avanzando rápido y en silencio por un túnel secreto, o tal vez ya en el museo con el objeto en mi poder, siguiendo a mi hermana hacia la salida, también secreta. No aquí. Nadie pensaba que Lemony Snicket debiera estar subiendo las escaleras de la clínica Colophon en las afueras de Stain'd-by-the-Sea. Lo que hacía era temerario. Negligente. Peligroso. Era lo que había que hacer. Nadie tiene por qué estar encadenado.

—¿Sr. Feint? —llamé de nuevo—, ¿Armstrong Feint?

Pero no era Armstrong Feint quien me esperaba al final de la escalera. Otra vez me equivocaba. Era una habitación mejor decorada e iluminada. No tenía el aire aséptico y desangelado del resto de la clínica. Ni el olor a recién fregado. Era una habitación en la que no me importaría vivir, si pudiera llevarme conmigo unos cuantos libros. No había libros, pero había una gran cama de metal, toda mullida con mantas y edredones y una pila de almohadas que me hacía sentir cómodo con solo mirarla. Había una amplia ventana con las cortinas corridas y una mesa a cada lado de la cama. Una estaba repleta: un platito con migas de pan y una servilleta y una vela y un vaso de vino y la botella del vino. La otra no tenía nada, lo cual me pareció raro. Allí faltaba algo. El resto de la habitación lo ocupaba una gran chimenea de ladrillo que teñía todo de naranja. Ardía un buen fuego pero la habitación seguía helada, salvo para el hombre que estaba allí de pie avivándolo con el atizador. Se acababa de levantar de un elegante sillón con la otomana a juego; un pequeño mueble de madera con un cojín rojo incrustado, que servía para apoyar los pies. Vestía un uniforme militar raído pero limpio. Era gris oscuro, con una tira de medallas y distinciones de diferentes formas y colores en el pecho. Pero en lugar de botas llevaba un par de pantuflas deformadas, y allí donde debía verse la piel (la cara, el cuello, las manos), tenía vendajes que lo envolvían como una momia.

—Coronel Colophon —dije.

El coronel asintió con un gesto agarrotado y se sentó en una postura incómoda, probablemente por sus heridas. Desplazó la otomana e hizo ademán de ofrecérmela.

—Esperaba a otra persona —dijo con una voz desmayada y ronca que sonaba todavía más débil a través de la rendija que dejaban las vendas—. No tengo muchas visitas.

—He venido a entregarle estas flores —dije. Me pareció curioso que al final estuviera haciendo lo que dije que haría. La mentira resultaba ser verdad.

El coronel cogió las flores con una de las manos vendadas.

—Pero no es el único motivo —dijo—. Se te ve en la cara que tienes una pregunta.

—La pregunta —dije— es si ha visto usted o no a una joven. Se llama Cleo Knight y es una brillante química.

—Como sabrás —dijo el coronel—, el director de la clínica lleva mucho tiempo tratando de devolverme la salud. Y ha dado trabajo durante años a científicos de todas las disciplinas para que le ayuden.

—El Dr. Flammarion no parece afanarse mucho últimamente —dije—. La clínica está completamente vacía.

La cabeza vendada asintió muy despacio.

—En otros tiempos la clínica estaba de bote en bote —dijo—, pero ahora soy el único paciente que queda y el Dr. Flammarion ha tenido que emplearse como boticario personal.

—Trabaja para los Knight —dije—. Su hija Cleo es la joven desaparecida que estoy buscando.

—Ya veo. Espero haberte ayudado.

—Mucho, coronel. Un montón de cosas que parecían extrañas tienen ahora una explicación simple. Pero aún no me ha contestado, coronel Colophon. ¿Ha estado aquí alguna vez Cleo Knight?

Me miró después de mirar al fuego, y me dio la sensación de que una corriente fría atravesaba la habitación.

—Sí—dijo al fin—. Venía de cuando en cuando a estudiar química con el Dr. Flammarion. A veces lo ayudaba con los nuevos tratamientos para mis quemaduras.

Formulé por última vez la pregunta que figura en la cubierta del libro.

—Ayer —respondió el coronel—. Se le pinchó una rueda y Flammarion la trajo para que se despidiese. Me dijo que estaba harta de la química y se marchaba con el circo. ¿Lo ves, chaval? No hay ninguna conspiración siniestra en marcha. Nada más que gente que se va. Stain'd-by-the-Sea desaparece y los problemas desaparecen con el pueblo. Aquí no hay nada de qué preocuparse.

Asentí.

—Una buena historia —dije—. Responde todas mis preguntas. Pero entonces eran las preguntas equivocadas.

La hendidura entre las vendas frunció el ceño.

—¿Qué quieres decir?

—Debí preguntar por qué gritó usted ese nombre cuando yo subía las escaleras silbando.

—¿Qué nombre?

—Ya sabe qué nombre.

—Me entenderías mal, criatura.

—Oyó la melodía —dije—, y creyó saber quién estaba silbando. Tenía miedo de que cierta joven le hubiera encontrado al fin. Tenía miedo de que le trajese el objeto que debía robar para usted, y se viera obligado a liberar a su padre.

—Pero no quiere liberar a Armstrong Feint —dije—, ni a Cleo Knight. Usted y su organización aún no han acabado con ellos. Tienen un plan perverso que llevar a cabo.

Arrojó las flores al fuego.

—¿Cómo te atreves a decir que soy perverso? —rugió—. Soy un héroe de guerra.

—Y casi logras engañarme —dije—. El coronel Colophon es abstemio. Debiste esconder la copa de vino, Hangfire.

Cuando se vio descubierto cambió la voz. Y esta, si era su verdadera voz, era mucho peor.

—«Abstemio» es una palabra muy rebuscada para un chavalín. Vamos a seguir examinando tu vocabulario. ¿Sabes qué significa «defenestración»?

Con un gesto teatral descorrió las cortinas y el viento se precipitó al interior. La ventana estaba rota. No estaba hecha añicos, sino que tenía un agujero de bordes irregulares en medio del cristal, aproximadamente de la forma de una persona. «Defenestración» significa tirar a alguien por la ventana. Obviamente, había sucedido recientemente. Hangfire me agarró por el cuello con sus manos vendadas y me arrastró para que mirase por el agujero dentado la lluvia y los árboles y las aguas oscuras de la piscina donde había aterrizado el coronel Colophon, aguas agitadas bajo la lluvia como una tormenta en alta mar.

—Escucha —me siseó al oído—. Escucha con atención, Snicket.

Oí otro sonido por encima de la lluvia y el viento en los árboles. Era como un murmullo, una especie de zumbido. Hangfire me empujaba hacia la ventana y yo en sentido contrario. Era una danza tensa. Mi zapato lleno de musgo resbaló en la moqueta y, cuando me agarré a su guerrera, me pinché con una de las medallas justo donde me había mordido el renacuajo. El sonido se hizo más fuerte.

—¿Lo oyes? —siseó.

—Es un Dilemma —dije, con dificultad.

—No seas idiota —dijo—. No me supone ningún dilema librarme de ti, Snicket.

—No me refiero a ese tipo de dilema —dije, y abrió los ojos como platos bajo la venda. La palabra «dilema» puede referirse a una decisión difícil, desde luego, pero el sonido que oí, más fuerte que la lluvia y el viento, era el motor de un coche caro, de los que pueden atravesar una pared sin sufrir unarañazo ni una abolladura, aunque el edificio entero se venga abajo. Me lo habían contado muchas veces pero nunca pude comprobarlo hasta esa noche. El Dilemma salió de entre los árboles, derrapó alrededor de la piscina y se estrelló contra la parte de atrás de la clínica Colophon. Ver para creer. Como todos los accidentes, parecía una alucinación, como si fuera imposible que hubiera sucedido. Pero era bien real. Hizo retumbar el tejado. Hizo retumbar el edificio entero y abrió una grieta en el muro con el chasquido de un hueso roto. Hizo que el malvado cayese al suelo.

Me levanté, me libré de las garras de Hangfire. Ahí lo tienes, pensé, y aquí estás tú.

El infame se puso de pie y retrocedió hacia la ventana rota y fría. Se llevó una mano a la cara y empezó a retirarse parte del vendaje. Yo no quería mirar. Entonces Hangfire se puso de puntillas y se estiró todo lo que pudo para enganchar la punta de la venda en uno de los bordes dentados del cristal roto, como si colgara un sombrero de un gancho. Extendió los brazos y se alejó de mí un paso, y luego otro.

Al tercer paso saltó por la ventana. El vendaje se desenrollaba a medida que caía, y cuando me asomé estaba agarrado a él, arrastrando los pies por el muro resquebrajado para frenar y atenuar la caída. El edificio aún se tambaleaba y chirriaba por todas partes. Como todo buen maleante, era un cobarde y no iba a enfrentarse a mí a cara descubierta. Vi la oscura silueta de Hangfire soltar la venda y lanzarse al suelo. Aterrizó al borde de la piscina. La venda hizo un pequeño frufrú al terminar de desenrollarse, como el que haría una araña tejiendo su tela, si estuvieras cerca para oírlo. Se oyó salpicar el agua, como si se le hubiera caído un zapato, o como si algo saliera de la piscina. No lo vi. Se paró un momento y corrió raudo hacia los árboles. Allá va Hangfire, pensé, y aquí estás tú. Fuera de peligro. Ahora toca rescatar a todos los demás.

CAPÍTULO 12

Nadie me perseguía, pero aun así bajé corriendo por las escaleras. El sonido de la lluvia se hacía más fuerte a medida que aceleraba el paso, hasta que al fin me encontré en la sala con todas las mesas de madera. Las mesas aún estaban allí. Los bancos seguían allí, y las peceras, y las cadenas. Pero donde antes estaba la ventana, ahora había una maravilla de automóvil, que relucía con las gotas de lluvia, y que se había detenido en medio de un montón de vidrios rotos. Tenían razón, los fabricantes del Dilemma. Ni una abolladura, ni un arañazo. Pero Jake Hix, tras desabrocharse el cinturón de seguridad y abrir la puerta del coche, parecía tan conmocionado como el edificio.

—¿Dónde está mi novia? —me preguntó a gritos, por el ruido de la lluvia.

—Hay quien aparca el coche —dije— y entra caminando por la puerta.

—La puerta estaba cerrada con llave —dijo Jake—. Oía que había gente dentro pero nadie me abría. Había un taxi aparcado afuera, pero nadie adentro. ¿Dónde está, Snicket?

Algo crujió en el edificio; un crujido de metal y ladrillos que empezabana ceder.

—No la encuentro, pero está aquí, en algún sitio.

—¿Cómo lo sabes?

—Hangfire se esforzó mucho en que yo pensara que no hay nada aquí por lo que deba preocuparme.

—¿Quién es Hangfire?

—Piensa en alguien podrido, Jake. Te lo explico luego.

Por unos instantes pensé que Jake Hix había pensado en alguien tan podrido que le había hecho gritar. Pero la boca de Jake estaba cerrada y parecía preocupado. Los gritos venían de otra parte, amortiguados pero desesperados, acompañados por los golpes que alguien daba. Nos miramos el uno al otro y miramos a nuestro alrededor, pero era muy difícil saber, con el ruido de la lluvia, de dónde provenían los gritos.

Es terrible. Es una sensación angustiosa saber que alguien necesita ayuda y que no puedes ayudarle. Ya había hecho una vez en Stain'd-by-the-Sea la pregunta «¿De dónde vienen esos gritos?» y, aunque la pregunta había sido acertada, la respuesta había sido no menos terrible.

Fui corriendo al pie de la escalera de caracol y miré hacia arriba, donde había estado. Los gritos no venían de allí. Jake pasó con cuidado sobre los cristales de la ventana rota, y recorrió con la vista toda la cortina de lluvia, los árboles y la piscina embravecida. Le hice un gesto de negación con la cabeza y él negó también, y caminamos hasta encontrarnos en medio de la sala. Por algún motivo, los gritos ahora eran más fuertes. Pero la sala está vacía, pensé. Piensa, Snicket. Jake Hix trabaja en una cafetería, pero a ti te han enseñado qué hacer en estas situaciones. Miré por encima de mí, pero solo vi las vigas del techo. Me incliné para mirar debajo de las mesas, pero Hangfire no podría esconder bajo una mesa a una chica gritona sin que se notase, igual que mi hermana no podía esconder su diario bajo la almohada sin que se notase. Sin embargo, los gritos se oían más cuando miré debajo de las mesas. Me arrodillé sobre la alfombra, y eran aún más fuertes. A la alfombra no le había prestado mucha atención. Era de color rojo sangre, con un dibujo de espirales en negro que formaba una cenefa. Luego vi que las espirales eran caballitos de mar negros con dientes afilados y ojos ruines. Incluso dibujada en una alfombra, la Bombinating Beast era algo horrible.

Me levanté y empujé una de las mesas.

—Ayúdame a moverla —dije, y Jake me comprendió inmediatamente. Los gritos continuaban, junto con algún golpe que otro, mientras empujamos una mesa todo lo que pudimos, tumbando los bancos a nuestro paso. También los apartamos. La alfombra era muy grande y tuvimos que mover todos los muebles llevándolos hasta las paredes rápidamente. Las peceras se caían al suelo con estruendo. No nos importaba lo que les pasara a las cosas. Nunca había hecho algo así y, dentro de las circunstancias, fue casi divertido. Comprendí mejor a los matones. Comprendí por qué alguien puede desear quitar cosas de en medio sin preocuparse de si causa daños.

Los gritos se oían bastante claros ahora.

—¡Ayuda! —decían los gritos.

—¡Aguanta, Cleo! —gritó Jake, con las manos haciendo bocina.

Apartamos a patadas unos cuantos bancos más hasta que la alfombra quedó libre, y la enrollamos entre los dos. La alfombra era gorda y no se dejaba enrollar. Pero la enrollamos. Luego solo quedaba el piso de madera, pálido y polvoriento, con una amplia trampilla en el centro. Era de metal, con un círculo de tornillos por los bordes y una gran argolla oscura de la que podías tirar para abrirla. Por toda la argolla había dos iniciales grabadas en el metal. Cuesta mucho tiempo grabar letras en metal y eso me enfadaba. Me enfadaba porque sabía que mi hermana estaba probablemente enfrente de una trampilla con unas iniciales grabadas, quizás en aquel mismo instante. Serían otras iniciales, pero en aquella sala con la lluvia, con los gritos y los golpes bajo nosotros, no importaba. Era la misma sensación. Adultos que grababan iniciales en trampillas y luego cerraban la trampilla para que nadie pudiese llegar a los secretos importantes, a la gente noble, a la fórmula secreta que podría salvar el pueblo. La trampilla era el problema. La trampilla con las iniciales S.I. grabadas, de «Sociedad Inhumana», y yo iba a abrirla.

Me arrodillé y tiré, y Jake se arrodilló y tiró conmigo. La argolla era suficientemente grande para nuestras dos manos, y luego nuestras cuatro manos, tirando juntas. Era como tirar del mundo entero. No se movía.

—¡Cleo! —gritaba Jake de vez en cuando, y los gritos continuaban.

—¡Ayuda! ¡Ayuda! ¡Que alguien me ayude!

Yo no grité nada. Temía acabar gritando el nombre de mi hermana. Tiramos y tiramos y por fin Jake me miró.

—No se mueve un ápice.

—Lo sé —dije—. Hay que tirar más fuerte.

—Quizás se abra desde dentro.

—No, el asa está aquí.

Jake me miró y se frotó un poco los ojos.

—Pero ¿cómo sabes que es posible, Snicket? ¿Cómo sabes que podemos hacerlo?

—Ha sido Hangfire —dije—. Necesitamos abrir la trampilla, Jake. Tenemos que abrirla ya.

—Mi tía siempre dice que, si te lo propones, puedes hacer cualquier cosa —dijo Jake—. ¿Es eso cierto?

—No —dije—. Eso es una tontería. Pero podemos abrir esta trampilla. Vamos, Hix. A la de tres.

Nunca se cuenta hasta siete antes de hacer algo difícil. Nunca se cuenta hasta dos. Siempre es a la de tres, y eso es raro. Un, dos, tres y Jake y yo tiramos de la argolla con todas nuestras fuerzas. Las manos de ambos se afanaban en la tarea, y ambos teníamos la cara en tensión. Probablemente nuestro aspecto era ridículo y ridículos los sonidos que emitíamos. Pero ridículos o no, íbamos a abrir aquella trampilla. No importa parecer ridículo, no si estás con gente que conoces y en la cual confías. Si estás con gente que conoces y en la cual confías, y encima te lo propones, puedes hacer cualquier cosa. Eso fue lo que me dije a mí mismo, y me lo decía en serio. Puedes hacerlo, Snicket. Puedes abrir la trampilla y rescatar a la chica que grita.

Pero no era la chica la que gritaba. La trampilla se abrió de golpe tras un largo tirón. Así, sin más, se abrió de golpe con un *clang* fuerte y claro que resonó en mis oídos. Fue tan rápido que daba la sensación de que la trampilla nos había gastado una broma con lo de ser difícil de abrir. Jake y yo nos miramos atónitos y luego nos colamos por la trampilla y bajamos por una corta escalera de metal hasta un cuarto con techo bajo y alguien que gritaba dentro. El resto del cuarto constaba de una larga mesa de laboratorio repleta de todo tipo de equipamiento científico. Había tubos de vidrio y recipientes con cosas burbujeantes en su interior. Había cajas electrónicas con luces e interruptores y pizarras llenas de ecuaciones garabateadas. Y había una chica varios años mayor que yo. Tenía el pelo tan rubio que parecía blanco y llevaba unas gafas que le hacían los ojos muy pequeños. Tenía el ceño fruncido y se estaba frotando una de las muñecas, que se veía hinchada y dolorida. En la superficie de la mesa descansaba como una serpiente una cadena con una letra C abierta en el extremo. Ella no me miraba. Miraba hacia un rincón del cuarto, a la persona que gritaba. Era el Dr. Flammarion, que temblaba y trastabillaba de miedo ante la chica que avanzaba hacia él con el ceño fruncido. Y la chica era Cleo Knight, por supuesto; la verdadera Cleo Knight.

—¡Ayuda! —volvió a gritar el Dr. Flammarion—. ¡Que alguien me ayude!

Jake fue corriendo a ver a su amada.

—¡Hola, Cleo! —dijo—. ¡Cómo he echado de menos a mi Srta. Knight! Me alegro de verte.

—Yo también me alegro de verte, Jake —dijo Cleo, aunque apenas lo miraba. Sus ojos seguían mirando fijamente a la silueta temblorosa del boticario. Se movía con calma pero la calma era exagerada.

—Siento no haberme puesto en contacto contigo antes —dijo, con una voz tranquila y uniforme—, pero estaba encadenada en un sótano, donde me forzaban a seguir con mis experimentos. Mi caso era peor que el de la chica de ese libro, que va a vivir con esa familia, los Reed, y todos son crueles con ella.

—Es un libro maravilloso —no pude evitar decir, y le recordé el título.

—Este es Snicket —dijo Jake—. Él fue el que averiguó que te habían secuestrado, en lugar de estar escondida como habíamos planeado. Él fue quien averiguó que estabas aquí encerrada y nos hizo venir por ti. Aunque no parece que necesitases el rescate, en realidad.

—Era una cerradura de cilindro metálico bastante ordinaria —dijo, señalando con un gesto el grillete—. El truco era conseguir que Flammarion me dejase una horquilla. Pero por supuesto, necesitaba que vinieras, Jake. Necesitaba que alguien abriera esa trampilla. Y necesitaba a alguien que me ayudara a llevar a este hombre horrible a la policía.

El edificio volvió a crujir, y el Dr. Flammarion volvió a soltar un chillido pidiendo ayuda y entonces Cleo Knight dejó de estar tranquila. En dos pasos rápidos tumbó la mesa de laboratorio y todo se fue al suelo con estrépito. Se oyó el ruido de vidrios que se hacían añicos y los zumbidos de aparatos eléctricos, y un charco de líquido silbaba humeante en el suelo. Pero Cleo Knight no se inmutó, expresión que se usa cuando una persona no tiene la reacción habitual ante un ruido muy fuerte o una desgracia. No sabía qué esperaba encontrarme cuando encontrase a esta brillante química. Supongo que había pensado que sería callada y tímida, por todo el tiempo que se había pasado en su habitación trabajando en la fórmula de la tinta invisible. En cambio, la chica seguía caminando hacia el hombre tembloroso del rincón, a quien señalaba con un dedo tan rabioso como el morado que tenía en la muñeca.

—Es usted un monstruo —dijo. Era una voz furiosa y una voz taciturna, y eso sí que me estremeció—. Drogó a mis padres hasta dejarlos sin poder pensar siquiera —dijo—. Destruyó la nota que dejé para mis padres y para Zada y Zora. Saboteó mi coche y me atrajo hacia sus garras. Me encerró aquí abajo y me hizo trabajar en la tinta invisible para poder llenar esta clínica de niños y continuar con su traición. Pero esa historia ha terminado, Flammarion. Nunca pondrá sus manos sobre mi fórmula, y yo no descansaré hasta que Stain'd-by-the-Sea vuelva a ser un pueblo como los demás.

Cuando tenía ocho años, uno de mis instructores nos llevó al bosque para pasar varias noches. Un amigo mío atrapó su primer murciélago, y mi hermano aprendió la facilidad que tienen las avispas para enfadarse. Pero lo que yo me llevé fue una lección que me enseñó mi instructor: un animal salvaje, cuando se siente acorralado, puede defenderse de forma repentina y desesperada.

Es por eso que intento no pasar más tiempo en el bosque de lo que es estrictamente necesario. El Dr. Flammarion dejó de sollozar y se volvió hacia todos nosotros con una sonrisa amplia y llena de dientes que no habían visto un cepillo en una temporada.

—Esta historia no ha terminado —dijo, y no sé por qué miró con desprecio mi zapato lleno de barro—. No tienes ni idea de dónde te has metido. Me llamas monstruo, pero no tienes ni idea de los monstruos que están por llegar. Nunca lograrás llegar a Armstrong Feint. Nunca lograrás atrapar a Hangfire. Y no tardaremos mucho en vengarnos de tu pequeño pueblo de mala muerte. Y ahora apartaos. Sois solo un puñado de críos arrogantes y yo soy un adulto hecho y derecho con una amiga que maneja bien el cuchillo, y estamos a kilómetros de distancia de la policía o de cualquier otra persona que pueda ayudaros.

Entonces se oyó el sonido de una sirena. Era un sonido maravilloso, entre la lluvia, aunque sabía que no era una sirena real y no era una persona maravillosa la que hacía el sonido. Es sorprendente a quién te alegras de ver cuando estás en un sótano con un loco de atar. La sirena se hizo más fuerte, y oí el traqueteo familiar del furgón de los Mitchum. Cleo agarró al Dr. Flammarion por un brazo, y Jake Hix lo agarró por el otro. Lo subieron a rastras por la escalera, y yo iba tras ellos. Era como una especie de extraña ceremonia de casamiento, y el banquete se celebraba en el comedor destrozado, con el viento y la lluvia como invitados, los agentes Mitchum como reverendos, y Stew Mitchum como una desdeñosa niña de los pétalos, que seguía a sus padres por la ventana rota, y ahora todos nos observaban.

—¿Qué es todo esto? —dijo Harvey Mitchum con severidad.

—Esta —dije— es Cleo Knight. En secreto, había planeado trabajar en una fórmula importante. Y este es el Dr. Flammarion, que la secuestró para apoderarse de la fórmula. Su cómplice, la enfermera Dander, no andará lejos. La hemos provocado y puede ser peligrosa.

Mimi Mitchum miró a Cleo fijamente.

—¿Es eso cierto? —exigió saber.

—Por supuesto que es cierto —dijo Cleo, y le dio al Dr. Flammarion un empujón hacia los agentes—. Nadie podría inventarse algo así.

—En ese caso —le dijo Harvey al doctor en tono severo—, irá en el próximo tren a la ciudad, donde será encarcelado por sus delitos.

—Me toca —dijo Mimi, cortante.

Su marido la miró con el ceño fruncido.

—¿Qué?

—Me tocaba a mí el discurso sobre el próximo tren a la ciudad. Tú ya se lo dijiste a esa Ellington.

—Mimi, ¿qué importa eso?

—Si no importa, entonces…

Del techo cayó un trozo de escayola que se hizo pedazos a mis pies, y la clínica Colophon volvió a dar un tremendo crujido, como si también estuviese cansada de las discusiones de los Mitchum.

—¿Puedo sugerir que salgamos de aquí? —dije.

Por una vez, los Mitchum no discutieron, y pronto el Dr. Flammarion fue el que llevaba los grilletes, por fin. Se quedó mirando fijamente al suelo. Stew lo miraba con satisfacción. Volvimos rápidamente por los pasillos vacíos de la clínica a la puerta principal. No me gustaba la idea de que este Dr. Flammarion fuera a ser en breve compañero de celda de Ellington. A no ser que ella no esté allí, pensé. Hemos distraído a la policía y Ellington Feint ha logrado abrir la cerradura de cilindro metálico y ha salido ya de la cárcel. Me la imaginé corriendo por el césped, y pensé en la estatua que llevaba. Tardará un rato, pensé, y acerté. Tardarás un rato en verla. Y efectivamente, mi dedo estaba completamente curado la próxima vez que vi a Ellington Feint, aunque tenía otros problemas.

En la puerta principal, en un principio me pareció que los hermanos Bellerophon montaban a un caballo, pero luego me di cuenta de que estaban sentados sobre la enfermera Dander, Pela en la parte superior y Cañas en la inferior, y con las manos le sujetaban los brazos y las piernas, que luchaban por escapar.

—Qué alegría verte —dijo Cañas.

—Parece que habéis hecho un buen trabajo —le dije. Pela movió la cabeza.

—No te preocupes por nosotros. Preocúpate por Moxie. Está herida.

—¿Es grave?

—Si no fuese grave no lo mencionaría. —Señaló con la cabeza al otro extremo de la sala, y corrí hacia la chica que estaba tumbada en el suelo.

El gorro se le había caído y estaba pálida, con los ojos cerrados. Tenía en el brazo una larga línea roja, y tardé unos segundos en darme cuenta de que la había hecho el cuchillo de la enfermera

Dander. El arma yacía en el suelo, junto a la máquina de escribir de Moxie. El que diga que la pluma es más poderosa que la espada, no ha sido apuñalado por ambas. Me arrodillé a su lado e intenté no mirar la herida.

—Moxie.

Sus ojos parpadearon hasta abrirse.

—Tenías razón, Snicket —dijo con una sonrisa y luego un gesto de dolor y otro de malhumor—. Este trabajo es peligroso.

—¿Te duele mucho?

—Esa no es la pregunta —dijo, y volvió a cerrar los ojos—. La pregunta es: ¿Me puedes salvar?

—Esta chica necesita un hospital —les dije a los demás.

—Este es el único hospital que hay por aquí —dijo Jake Hix, pero Cleo fue corriendo hasta Moxie y le echó un vistazo.

—Se pondrá bien —dijo la química con seguridad y, en un rápido gesto, arrancó una de las mangas de su camisa. Era una camisa nueva, se notaba, una de las muchas prendas de moda que llevaba la hija de la familia más rica del pueblo. Ahora era un vendaje, y Cleo lo ató como una experta al brazo de Moxie—. A ver qué puedes encontrar en esas habitaciones por las que acabamos de pasar —le dijo con firmeza al novio, y Jake volvió a salir pitando de la sala.

Moxie abrió los ojos.

—Tú eres Cleo Knight —dijo con voz muy débil—. ¿Qué quería el Dr. Flammarion? ¿Quién estaba tras el plan de secuestrarte? ¿Cuándo se...?

—¡Chiiist —dijo Cleo.

—Ella es Moxie Mallahan —le expliqué—. Es periodista y mi socia.

—Responderé a tus preguntas, Moxie —prometió Cleo—, en cuanto te hayamos curado el brazo.

Notamos una corriente de aire frío, y vi que los agentes Mitchum habían abierto las puertas principales de la clínica. Stew Mitchum me lanzó una mirada fulminante y luego bajó las escaleras de dos en dos, la mar de pizpireto. Los agentes lo siguieron, cargando con el Dr. Flammarion y la enfermera Dander, que ya estaba esposada.

—Parece que tenemos al culpable y a la cómplice —me dijo Harvey Mitchum.

—El verdadero culpable no está aquí —dije—. Hangfire se escapó hace un rato.

—¿Quién es Hangfire?

—Déjelo estar —dije.

Mimi me fulminó con la mirada.

—No le digas a mi marido que lo deje estar.

—Ya me encargo yo solito, Mimi.

—¿Igual que te encargaste del viaje hasta aquí? ¡Nunca he pasado por tantos baches en mi vida!

—¡No te metas con mi forma de conducir!

—¡No te metas conmigo!

—¿Podrían hacer el favor —dijo la enfermera Dander— de llevarnos a la cárcel ya?

Los Mitchum salieron con los detenidos y la

sala se quedó en silencio. Pela y Cañas se sacudieron la ropa y se levantaron para darme la mano.

—Os agradezco mucho vuestra ayuda —les dije—, aunque me gustaría pediros otro favor.

—Solo tienes que decirlo —dijo Pela.

—En la parte trasera del edificio hay una escalera de caracol —dije—. Arriba hay una habitación con una ventana rota, y en alguna parte de esa habitación hay un tocadiscos antiguo. Estaba en una mesilla de noche, pero Hangfire lo escondió justo antes de que yo llegara. Os pido por favor que lo llevéis, junto con todos los papeles que hay en el escritorio, al Café Black Cat y lo dejéis en el desván. Hay allí un armario que es más grande de lo que parece.

Cañas me miró con el ceño fruncido.

—¿Quién quiere todo ese material? ¿Otra socia tuya?

Moxie abrió los ojos y me observó con mucha atención.

—Yo no la llamaría así —y luego Jake Hix

entró corriendo con un montón de frascos.

—Esta es toda la medicación que he podido encontrar, Cleo —dijo. Su enamorada le cogió los frascos y, tras examinar rápidamente las etiquetas, eligió dos y empezó a mezclar sus contenidos. Otro trozo de escayola cayó al suelo, y estuve a punto de pedirle a Cleo que se diera prisa, aunque ya se estaba dando prisa.

—¿Se pondrá bien Moxie? —me decidí a preguntarle.

—Tardará unos días en poder escribir a máquina —dijo Cleo señalando la máquina de escribir con la barbilla—, pero se pondrá bien, Snicket. Déjame trabajar. Puedo curar un corte. La química es una parte de la ciencia que trata de las sustancias elementales básicas de las que se componen cuerpos y materia.

—Nunca la he encontrado interesante hasta ahora —dije.

—Con un poco de suerte, pronto todo el pueblo la encontrará interesante.

—¿Cuánto te falta para acabar la fórmula?

—No lo sé —admitió Cleo. Retiró la venda y empezó a aplicar la mezcla en el corte de Moxie. La periodista hizo una mueca de dolor, y yo me agaché para cogerle la otra mano. Nadie debería sentir dolor en soledad—. Pensé que estaba cerca hace unas cuantas noches, y la probé en mi habitación, pero no funcionó.

—Lo sé, yo mismo lo comprobé.

—Bueno, quizás cambie mi suerte. He montado un laboratorio en una casita justo donde antes estaba el mar.

—¿Handkerchief Heights?

—Exacto. Es un buen lugar. Algunos de los ingredientes que necesito se encuentran fácilmente cerca de la Isla Offshore; está solo a un paseo de la casita.

—Quizás la guardia costera pueda ayudarte —dije—. Creo que ellos son los que tocan la campana de alerta cuando es hora de ponerse las máscaras.

—Tengo la teoría —dijo Cleo— de que las máscaras no tienen justificación científica. Solo son una superstición; otro mito en vías de extinción de este pueblo.

—Como la Bombinating Beast —dije.

—O como el coronel Colophon —dijo Jake Hix—. Se suponía que era un valiente héroe de la guerra, pero resultó ser un malhechor.

Moxie negó con la cabeza.

—Hangfire es el malhechor —dijo—. El verdadero coronel Colophon debe de estar en otra parte.

Abrí la boca pero no dije nada. No había motivos para mencionar la ventana en la habitación de Hangfire, que ya se había roto, o la piscina agitada justo debajo de aquella ventana. Me limité a cerrar la boca y mirar a Moxie muy serio, y Moxie también me miró con seriedad, y Cleo miró seriamente el brazo de Moxie.

—Tengo que acabar la fórmula —dijo—. Es como un rompecabezas, pero debo terminarlo.

Una tinta invisible que funcione de verdad haría de Ink Inc. una empresa de éxito de nuevo. Podríamos salvar este pueblo de todas las personas que nos quieren liquidar. Tengo que hacerlo yo. Es lo que les decía a mis padres en aquella nota. Los quiero, pero mis padres han abandonado la lucha por arreglar las cosas.

—Y los míos —dijo Jake, y también asintieron los hermanos Bellerophon. Incluso Moxie mostró su acuerdo asintiendo.

—Necesitarás ayuda —dije.

—Tengo ayuda —dijo, sonriéndole a Jake y luego a toda la sala. Era la primera vez que veía a Cleo Knight sonreír. Era una buena sonrisa. Entonces comprobé por qué Jake se había enamorado de la dueña de esa sonrisa. Pela y Cañas se despidieron con un gesto y salieron de la sala para ir a recoger las cosas de Ellington, y Jake se fue a por el Dilemma. Todos tenían algo que hacer. Yo empecé a bajar la escalera.

—¿Dónde vas, Snicket? —la voz de Moxie

era muy bajita, pero notaba su curiosidad. Ser curioso es la parte más importante de ser periodista. Puede que sea la parte más importante de ser cualquier cosa.

—Tengo algo que hacer —dije, y me encaminé de regreso al pueblo. Cualquiera me habría llevado, pero yo quería ir caminando, para pensar. Tenía que informar a mi acompañante, pero ¿de qué podría informarla?, me pregunté. El edificio crujió y pareció suspirar a mis espaldas. Fuera lo que fuera lo que planeaba hacer Hangfire con aquellas mesas y peceras y cadenas para niños, ya no podría hacerlo en la clínica Colophon. Pero su perfidia no había acabado. Se la llevaría a otra parte, a cualquier lugar sombrío y oscuro, en un pueblo que tuviera cada vez más edificios abandonados cada minuto que pasaba. Era un rompecabezas, uno oscuro y solitario, y si yo era una pieza de aquel rompecabezas, no sabía cuál era mi lugar. Necesitaba apartarme, solo un ratito, hasta ver el hueco en donde encajaría.

CAPÍTULO 13

Ya era después de la medianoche cuando entré. Por un instante me pareció que la suite Far East estaba cubierta de confeti. Oía los ronquidos de Theodora. Después de todo aquel tiempo, era un sonido familiar, pero no podía decir que estuviera acostumbrado. Me metí en el baño y encendí la luz y dejé la puerta abierta una rendija para poder ver. La habitación parecía cubierta de confeti porque estaba cubierta de confeti. Había unas cuantas serpentinas pegadas con cinta a la pared, y vi que había una botella de champán en una cubitera con hielo. Theodora estaba dormida en su cama, con un gorro de fiesta rosa fuerte torcido sobre la cabeza. Se había quedado dormida a mitad de su celebración por haber resuelto el caso de Cleo Knight.

Me senté en la cama. Los pies me dolían de la caminata de vuelta al pueblo. Encima de mí, había un cuadro con una niña que llevaba en brazos un perrito con una pata vendada. Había sido un día muy largo, y no me da vergüenza decir que lloré un poquitín. No hay nada malo en llorar al final de un largo día. Intenté no hacer ruido, pero Theodora se despertó con una sacudida y me miró.

—Te has cortado el pelo —dijo.

Asentí y me sequé las lágrimas. Ya me había cortado el pelo la última vez que me vio. Al menos esta vez lo había notado.

—¿Dónde estabas? —preguntó—. ¿Visitando a tu amiguita en la cárcel?

—Ellington no está en la cárcel —dije.

—¿Qué?

—Al menos, eso es lo que creo.

Theodora se levantó de la cama y metió los pies en una nube de confeti. Se quitó el gorro y lo arrojó al suelo.

—Esto es un desastre —dijo—. Si la culpable se ha escapado, entonces hemos fracasado, Snicket.

—Ellington Feint no es la culpable —dije—. No tiene nada que ver con el caso.

Esto era casi cierto, y Theodora casi se lo creyó.

—¿Qué es lo que vas a hacer?

—Ya lo he hecho —dije—. Te escribiré un informe por la mañana, y tú puedes firmarlo con tu nombre.

—No sé si me gusta ese tono.

—A mí no me gusta tampoco, Theodora. Pero es el tono de alguien que ha resuelto el misterio pero está aún desconcertado.

—Dime cómo has resuelto el misterio.

Miré a la cara a mi acompañante, S. Theodora Markson.

—Dime lo que significa la S —le dije.

—¡Ese tono! —dijo, también con cierto tono—. No es adecuado, Snicket. Sé sensato.

—Seré sensato luego —dije—. Ahora mismo quiero dormir un poco.

Pero alguien llamó a la puerta. Y luego, cuando nadie contestó, llamaron otra vez.

—Sr. Snicket —dijo la voz de Prosper Lost.

—Tiene una joven visita esperándolo en el vestíbulo.

—Deme un minuto —dije, y oí que los pasos del propietario se alejaban por el pasillo. Miré a la chica del cuadro. Estaba ocupada con el perro. Theodora me lanzó una mirada asesina y luego se volvió a acostar en su cama. Por la mañana, lo sabía, yo sería el que tendría que barrer el confeti. Era parte de mi trabajo como aprendiz. Podría ser cualquiera, me dije. No hay ningún motivo, pensé mientras bajaba las escaleras, para que pienses que es Ellington Feint la que te espera en el vestíbulo del The Lost Arms.

Y efectivamente, allí de pie en medio de la sala, justo debajo de la estatua de la mujer sin brazos, me esperaba otra persona.

—No es culpa tuya —me dijo inmediatamente. Él siempre había tenido la filosofía de que uno no debe dudar.

—¿Qué es lo que sucede? —le pregunté.

—¿Podemos hablar aquí?

—No —dije. Sabía sin mirarlo que Prosper Lost estaría cerca con la oreja pegada al suelo, una frase que aquí significa «con la oreja puesta en nuestra conversación».

—¿Podemos dar un paseo, entonces?

Asentí. Me dolían los pies. El día no se había acabado aún, ni siquiera pasada la medianoche. Seguí a mi socio hasta la calle. Naturalmente, caminamos hacia la biblioteca, aunque nos detuvimos en medio del césped, donde la estatua estropeada relucía a la luz de la luna. Vi las luces encendidas en la comisaría, donde los Mitchum discutían sobre de quién era la culpa de que Ellington se hubiera escapado de su celda, mientras el Dr. Flammarion y la enfermera Dander, sentados, se veían obligados a escuchar. La biblioteca parecía cerrada a cal y canto, aunque me pareció ver unas cuantas polillas revoloteando cerca de la entrada, ahora que su hogar, un árbol alto y ancho, ya no existía. Me pregunté si Dashiell Qwerty habría terminado todo el trabajo que tenía en la biblioteca. Quizás estaba allí dentro durmiendo.

—¿Qué ha pasado? —pregunté, al fin.

—Han detenido a Kit —dijo mi socio—. Mis fuentes me informan de que la pillaron justo cuando intentaba abrir la trampilla. Era demasiado pesada para abrirla ella sola.

Cerré los ojos. Así la oscuridad era aún más oscura.

—Se suponía que no iba a estar sola —dije.

—Snicket, te lo he dicho antes, no es culpa tuya.

—Y lo puedes decir tantas veces como quieras.

—Kit sabía que no estarías allí. Decidió intentarlo de todos modos. Y no la culpo. El Museo de los Objetos no ha tenido una exposición como esa en mucho tiempo.

—Ochenta y cuatro años —dije—. Si no conseguimos el objeto ahora, no tendremos otra oportunidad en nuestra vida.

—Ha conseguido el objeto, pero también ha conseguido que la detengan. La juzgarán, Snicket. Hay bastantes posibilidades de que vaya a la cárcel.

—¿Dónde está ahora el objeto?

—No lo sabe nadie.

—Tenemos que averiguarlo.

—Sin duda —dijo mi socio asintiendo muy despacio. Era su forma de decir que sí—. Sabes que te ayudaría si pudiese. Pero dije en el cuartel general que tenía que explorar esta área. Cuando se enteren de que aquí no queda agua, me confiscarán el submarino.

—Lo recuperarás.

—Pero no a tiempo.

—No deberías haber venido, supongo.

—Quería que lo supieras, Snicket. Tu hermana puso todo su empeño, pero no pudo abrir la trampilla para salir del museo.

—Gracias —dije—, gracias por decírmelo.

—Sabes que te ayudaría si pudiera —repitió.

Me recliné contra la estatua y me quité un zapato.

—Entonces dime si sabes qué es esto —le dije.

—Es tu zapato.

—No, esta cosa lodosa.

—¿Barro? ¿Musgo?

—Es otra cosa, creo.

Widdershins frunció el ceño, y me quitó el zapato de la mano. Lo olió.

—Huele a pescado —dijo.

—Sí.

—A veces tomamos un bocado a bordo del submarino. Caviar. Huevas de pescado. A Gustav le encanta.

—Gracias —le dije, y me volví a poner el zapato.

—¿Esto forma parte del caso que te ocupa?

—Puede que sí.

—¿Qué es lo que pasa en este pueblo, Snicket?

—Hay un facineroso llamado Hangfire —dije— que ha secuestrado a un naturalista y ha obligado a la hija del naturalista a robar una estatua de una bestia mitológica. También había secuestrado a una joven química con objeto de robarle su fórmula de la tinta invisible. Forma parte de un grupo denominado Sociedad Inhumana, y están planeando más maldades. La última vez que fue visto se hacía pasar por un héroe de guerra llamado coronel Colophon, que quedó lesionado en una explosión que hizo de su estatua un pedazo de metal retorcido, y su plan es capturar a un montón de niños para algún fin terrible.

Mi socio dio golpecitos con el dedo sobre los restos de la estatua, y luego asintió.

—¿Cuánto sabe tu acompañante sobre todo esto?

—¿Cuánto sabe tu acompañante —le pregunté— sobre tu viaje secreto hasta aquí?

Me sonrió.

—No se les puede contar todo —dijo—. No lo entenderían.

—¿Quién te enseñó eso?

—Tú, Snicket. ¿Recuerdas? Dijiste que podríamos hacer de nuestra organización algo más grande de lo que nunca ha sido, pero solo si dejábamos de escuchar a nuestros instructores y encontrábamos nuevas formas de arreglar el mundo. Fue un discurso bastante impresionante. Casi te echan para siempre.

—Quizás debieron echarme. En Stain'd-by-the-Sea el mundo parece mucho más difícil de arreglar.

—Recuerda lo que dijo nuestro socio —me recordó mi socio—: ninguna realidad tiene el poder de disipar un sueño.

—Hangfire está fabulando algo horrible —dije—, y no sé cómo detenerlo. No sé siquiera por dónde empezar.

Entonces sonó una campana, la alarma metálica que venía de la torre. Me imaginé la Wade Academy abandonada en la Isla Offshore, donde se podía encontrar el ingrediente secreto de Cleo Knight.

—He oído hablar de esto —dijo Widdershins—. ¿Tenemos que ponernos las máscaras?

—No lo sé —dije—. Podría ser una superstición.

—¿Cómo puedes estar seguro?

—Apenas estoy seguro ya de nada, Widdershins —dije con un suspiro.

Widdershins volvió a asentir por última vez.

—Eso suena a aprendizaje —dijo—. Ninguno de nosotros está seguro de nada.

Dijo adiós con la mano y empezó a alejarse. No se podía quedar. Lo vi marchar, y luego subí a lo más alto de la maltrecha escultura. La forma del pedazo de metal dificultaba la subida, pero en lo alto había suficiente espacio para tumbarse y mirar al cielo. Sentía el metal frío bajo mi cuerpo, pero era mejor que la cama de la suite Far East, con los restos de una celebración equivocada. No sé en qué pensaba, allí acostado. Pensaba en la máscara de plata, y la cara de la Bombinating Beast. Pensaba en las vendas que cubrían la cara de Hangfire y las que rodeaban la herida de Moxie. Pensaba en el olor a láudano y el barro de mi zapato. En la trampilla de la clínica y la trampilla del museo, y en las iniciales grabadas en el metal de ambas. Pensaba en Ellington Feint y en su sonrisa, la sonrisa que podía querer decir cualquier cosa. Miré al cielo. «Ninguna realidad tiene el poder de disipar un sueño» significa que, independientemente de lo que sucede en el mundo, puedes seguir pensando en otra cosa, especialmente si es una cosa que te gusta.

Me quedé tumbado sobre la estatua y pensé, y el mundo siguió sin mí. Moxie Mallahan estaba arropada en su cama, y Cleo Knight entró en Handkerchief Heights, donde la esperaba su instrumental científico. Jake Hix empezaba a cocinar el desayuno en Hungry's, y los hermanos Bellerophon dejaban un antiguo tocadiscos y una enorme pila de papeles en el desván del Café Black Cat. S. Theodora Markson dormía, y los agentes Mitchum se peleaban. Ignatius y Doretta Knight recibían la noticia de que su hija estaba sana y salva, y Zada y Zora lo celebraban cocinando algo delicioso, y Polly Partial descubría que alguien había devuelto los dos melones chinos a su establecimiento, mientras que el Dr. Flammarion y la enfermera Dander permanecían sentados y esposados en espera de un tren que los llevaría traqueteando por puentes, que ya no estaban sobre el agua, hacia la ciudad donde yo ya no trabajaba. Y por supuesto, Hangfire acechaba dondequiera que estuviese acechando, y Ellington Feint escondía lo que fuera que estuviese escondiendo, y la Bombinating Beast miraba al mundo con sus ojos vacíos y malvados. Todo esto pasaba sin mí, mientras yo miraba la noche hasta que tuve suficiente, y me deslicé de la estatua y me puse en pie. Me encaminé hacia el The Lost Arms y hacia nuestro siguiente caso. La campana volvió a sonar, avisando de que ya había pasado el peligro. No sabía cuál era mi lugar, pero tenía una ocupación. No estaba seguro de nada, pero tenía un trabajo que hacer.